科《か》学《がく》探《たん》偵《てい》 謎《なぞ》野《の》真《しん》実《じつ》シリーズ

科学探偵 VS.

暴走する月

後編

前編《ぜんぺん》のあらすじ

IT《アイティー》企業《きぎょう》・クロノス社《しゃ》の力《ちから》で「AI《エーアイ》モデル特区《とっく》」に指《し》定《てい》された花森町《はなもりちょう》。最先端《さいせんたん》A《エー》I《アイ》・ゼウスの便利《べんり》さに、住民《じゅうみん》たちは夢中《むちゅう》になった。だが、奇妙《きみょう》な出来事《できごと》が相次《あいつ》ぎ、ついに真実《しんじつ》たちが、ゼウスに「指《し》名手配《めいてはい》」されてしまう。

　真実《しんじつ》たちは、ゼウスを操《あやつ》る人物《じんぶつ》を探《さぐ》るため、クロノス社《しゃ》に乗《の》り込《こ》む。そこで、すべては、転校生《てんこうせい》・レイアのしわざであることを知《し》る。レイアは、真《しん》の目的《もくてき》を教《おし》えてほしければ、トラップを乗《の》り越《こ》え、自《じ》分《ぶん》のいる最上階《さいじょうかい》まで来《く》るよう、真実《しんじつ》たちに告《つ》げるのだった。

もくじ

この本《ほん》の楽《たの》しみ方《かた》

この本《ほん》のお話《はなし》は、事件編《じけんへん》と解決編《かいけつへん》に分《わ》かれています。登場人物《とうじょうじんぶつ》と一緒《いっしょ》にナゾ解《と》きをして、事件《じけん》の真相《しんそう》を見《み》つけてください。ヒントはすべて、文章《ぶんしょう》と絵《え》の中《なか》にあります。

登場人物《とうじょうじんぶつ》

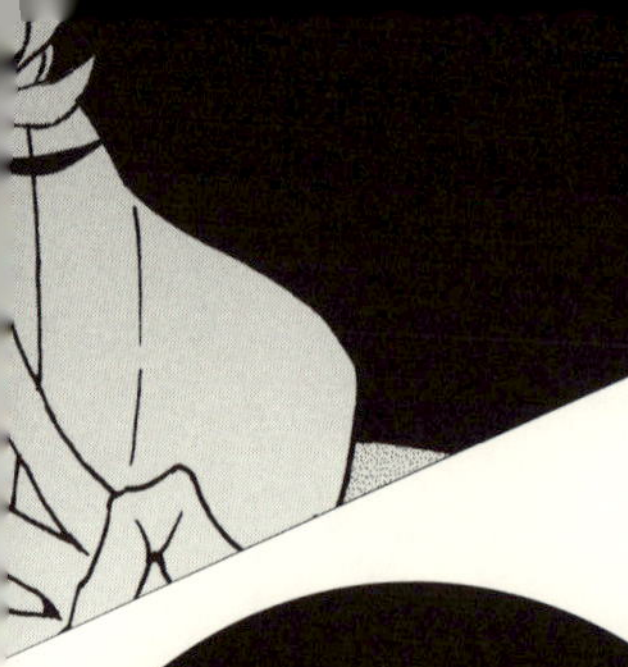

謎野真実《なぞのしんじつ》

エリート探偵育成学校《たんていいくせいがっこう》・
ホームズ学園《がくえん》出身《しゅっしん》で、
天才的《てんさいてき》な頭脳《ずのう》と
幅広《はばひろ》い科学知識《かがくちしき》を持《も》つ。
「科学《かがく》で解《と》けないナゾはない」が信条《しんじょう》。
6年生《ねんせい》。

宮下健太《みやしたけんた》

成績《せいせき》もスポーツも中《ちゅう》ぐらいの
〝ミスター平均点《へいきんてん》〟。
不思議《ふしぎ》なことが大好《だいす》きで、
真実《しんじつ》と仲《なか》がいい。6年生《ねんせい》。

レイア

アメリカから
転校《てんこう》してきた4年生《ねんせい》。
実《じつ》は、クロノス社社長《しゃしゃちょう》の娘《むすめ》で、
最先端《さいせんたん》AI《エーアイ》・スーパーゼウスの
開発者《かいはつしゃ》。

円城信也《えんじょうしんや》

有名《ゆうめい》IT《アイティー》企業《きぎょう》・クロノス社《しゃ》の社長《しゃちょう》。
花森町《はなもりちょう》の「AI《エーアイ》モデル特区《とっく》」
プロジェクトを推進《すいしん》していたが、
ひそかな計画《けいかく》を進《すす》めていた
娘《むすめ》のレイアに捕《と》らえられる。

ナナミ

健太《けんた》のタブレットに
入《はい》っているAI《エーアイ》で、
持《も》ち主《ぬし》の趣味《しゅみ》や考《かんが》え方《かた》を
学習《がくしゅう》して、成長《せいちょう》していく。
ホストAI《エーアイ》・スーパーゼウスの
端末《たんまつ》だが、健太《けんた》たちの味方《みかた》をする。

青井美希《あおいみき》

新聞部部長《しんぶんぶぶちょう》で、ジャーナリスト志望《しぼう》。
健太《けんた》とは幼《おさな》なじみ。6年生《ねんせい》。

浜田先生《はまだせんせい》

6年生《ねんせい》の学年主任《がくねんしゅにん》。
あだ名《な》は「ハマセン」。

杉田《すぎた》ハジメ

真実《しんじつ》たちのクラスメート。
あだ名《な》は「マジメスギ」。

「健《けん》太《た》くん、最上階《さいじょうかい》に行《い》こう！」

謎野《なぞの》真実《しんじつ》と宮下《みやした》健太《けんた》は、クロノスタワーの階段《かいだん》を上《のぼ》りはじめた。

エントランスにあるエレベーターで、レイアのいる最上階《さいじょうかい》へ行《い》こうとしたが、いくらボタンを押《お》しても扉《とびら》が開《ひら》かなかった。

どうやら電源《でんげん》が止《と》められているらしい。

しかたがないので、ふたりは階段《かいだん》を使《つか》って最上階《さいじょうかい》を目指《めざ》すことにした。

「まあ、階段《かいだん》で上《のぼ》ることは想定内《そうていない》だね」

そう言《い》って、真実《しんじつ》はちらりと健太《けんた》が持《も》っているタブレットを見《み》た。タブレットには、健太《けんた》専用《せんよう》のＡＩ《エーアイ》、ナナミが表示《ひょうじ》されている。

「きみは、レイアさんが黒幕《くろまく》だということを知《し》らなかったのかい？」

「ハイ。ワタシは末端《まったん》のゼウスなので、そのような情報《じょうほう》は知《し》りませんでシタ」

「レイアちゃん、どうしてこんなことをしたんだろう……」

健太《けんた》はポツリと言《い》った。

レイアは真実《しんじつ》と勝負《しょうぶ》をしたいらしい。

そして、最上階《さいじょうかい》までたどりつけたら、真《しん》の目的《もくてき》を教《おし》えると言《い》っていた。


「真《しん》の目的《もくてき》って……？」


健太《けんた》にはさっぱりわからない。

ナナミもわからないようで、首《くび》を横《よこ》に振《ふ》っていた。

「行《い》けばわかるさ」

真実《しんじつ》が健太《けんた》に言《い》った。


「トラップをすべて乗《の》り越《こ》えて、最上階《さいじょうかい》へ行《い》く。それですべてがわかるはずだ」

方法《ほうほう》はそれしかない。
真実《しんじつ》の言葉《ことば》に、健太《けんた》は力強《ちからづよ》くうなずいた。

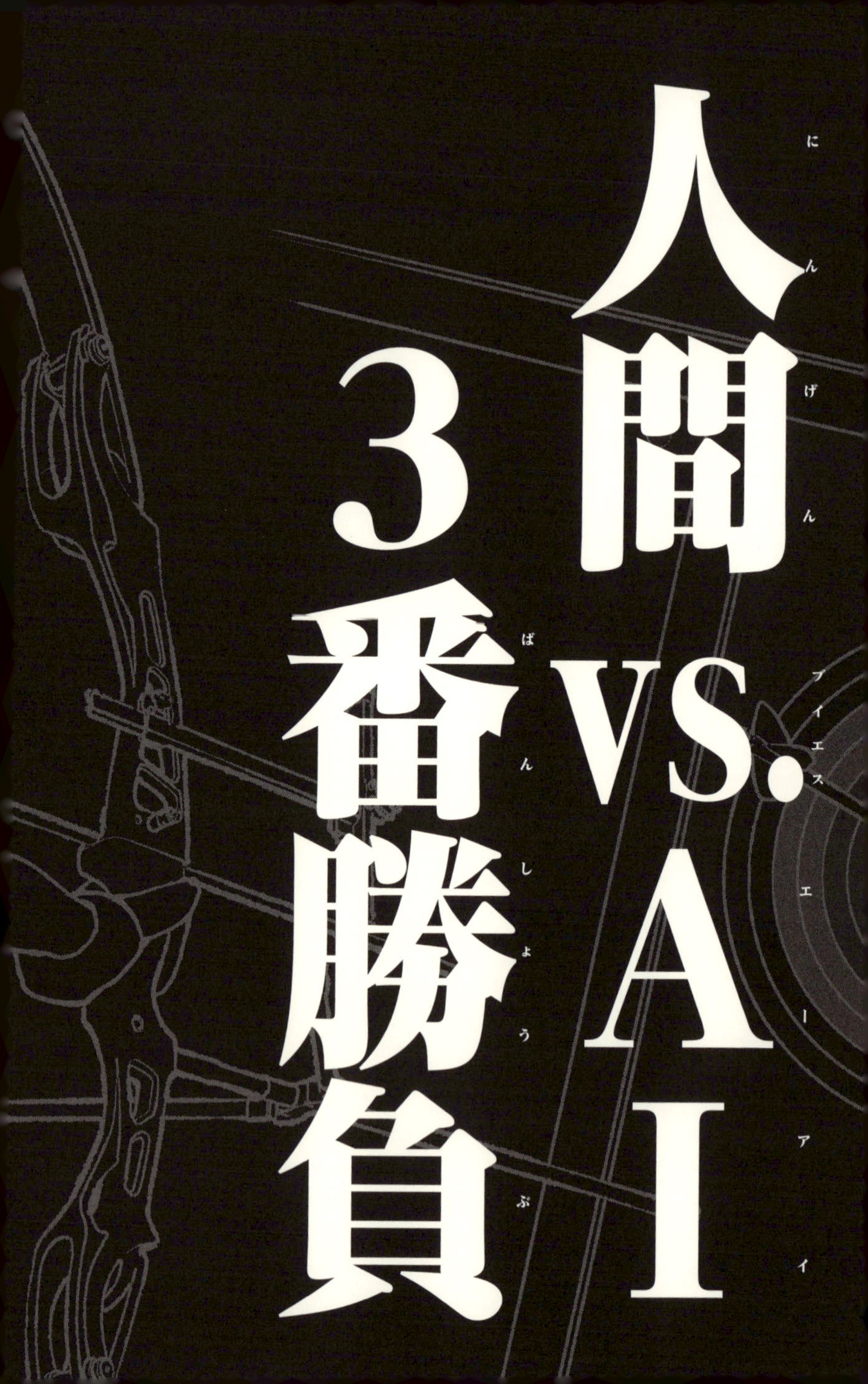

人間《にんげん》VS.《ブイエス》AI《エーアイ》

3番勝負《ばんしょうぶ》

暴走《ぼうそう》するAI《エーアイ》［後編《こうへん》］5

階段《かいだん》を上《のぼ》った先《さき》の鉄《てつ》の扉《とびら》を開《ひら》くと、そこには信《しん》じられない光景《こうけい》が広《ひろ》がっていた。

「**うわあ……何《なに》これ!?**」

吹《ふ》き抜《ぬ》けの広《ひろ》い空間《くうかん》に、たくさんの木《き》や花《はな》が植《う》えられ、壁《かべ》から流《なが》れおちた水《みず》が、フロアにつくられた水路《すいろ》を流《なが》れている。

「見《み》て見《み》て、魚《さかな》が泳《およ》いでるよ！　それに鳥《とり》もいる！」

木々《きぎ》のあいだを珍《めずら》しい野鳥《やちょう》が飛《と》び回《まわ》り、きれいな鳴《な》き声《ごえ》を響《ひび》かせていた。

「ここはAI《エーアイ》パークです。会社内《かいしゃない》につくられた憩《いこ》いの空間《くうかん》。」

ナナミが説明《せつめい》してくれた。

「ＡＩ《エーアイ》によって、植物《しょくぶつ》も動物《どうぶつ》も、快適《かいてき》に生《い》きていけるよう、すべて管理《かんり》されているのでス」

パークの中央《ちゅうおう》に進《すす》むと、そこには、巨《きょ》大《だい》な町《まち》のミニチュアモデルが展示《てんじ》されていた。

「すごいよこれ！　かっこいい！」

町全体《まちぜんたい》が透明《とうめい》なドームに覆《おお》われ、中《なか》には銀色《ぎんいろ》に輝《かがや》く流線形《りゅうせんけい》のビルが並《なら》んでいる。

そのビルのあいだには、空《そら》を飛《と》ぶ車《くるま》、エアカーが行《い》き交《か》い、町《まち》の真《ま》ん中《なか》には、緑豊《みどりゆた》かで大《おお》きな公園《こうえん》

がつくられていた。

健太《けんた》は感動《かんどう》して、思《おも》わず吐息《といき》をもらした。

「これが、クロノス社《しゃ》が考《かんが》える、未来《みらい》の町《まち》なんだね！」

「ハイ。円城信也社長《えんじょうしんやしゃちょう》の夢《ゆめ》ともいえるプロジェクトで、人《ひと》と自然《しぜん》がAI《エーアイ》の力《ちから》を借《か》りて共《とも》に暮《く》らす町《まち》、『AIトピア《あいとぴあ》』デス」

町《まち》に置《お》かれたミニチュア人形《にんぎょう》も、みんな笑顔《えがお》で、生《い》きいき暮《く》らしているように見《み》える。

「あっ、詳《くわ》しい説明《せつめい》が聞《き》けるみたいだ」

健太《けんた》は、ミニチュアモデルに付《つ》けられた「ガイド」と書《か》かれたスイッチを押《お》した。

しかし、フロアのスピーカーから流《なが》れはじめたのは、意外《いがい》な音《おと》だった。

ビーーッ　ビーーッ　ビーーッ

「現在《げんざい》、コノプロジェクトハ中止《ちゅうし》サレテイマス。新《あたら》シイプロジェクト名《めい》ハ、『ゼウスシティー・プロジェクト』デス」

「ゼウスシティー……!?」

健太《けんた》と真実《しんじつ》は目《め》を見合《みあ》わせた。

健太《けんた》の脳裏《のうり》に、クロノスタワーの１階《かい》で見《み》た、手足《てあし》をロープで縛《しば》られた円城《えんじょう》と、スーパーゼウスの開発者《かいはつしゃ》だと名《な》のるレイアの姿《すがた》が浮《う》かんだ。

「きっとこれもレイアちゃんのしわざだ。……とすると、ゼウスシティーはレイアちゃんの考《かんが》える理想《りそう》の町《まち》？」

「わからない。最上階《さいじょうかい》に行《い》って、直接《ちょくせつ》、彼女《かのじょ》に聞《き》くしかなさそうだ」

次《つぎ》の瞬間《しゅんかん》、正面《しょうめん》の壁《かべ》のモニターにレイアの姿《すがた》が映《うつ》し出《だ》された。

「そのとおりにゅ～！　アタシのすばらしい計画《けいかく》を聞《き》きたかったら、アタシからの挑戦《ちょうせん》をクリアして、早《はや》くここまで来《く》るんだにゅ！」

真実《しんじつ》は、モニターを見上《みあ》げて静《しず》かに言《い》った。

「きみの挑戦《ちょうせん》を受《う》ける準備《じゅんび》はいつでもできているよ」

「んふふ～。最初《さいしょ》の関門《かんもん》はズバリ、アタシがつくったＡＩ《エーアイ》との知恵比《ちえくら》べにゅ！　人間《にんげん》とＡ《エー》

I《アイ》、どっちが優秀《ゆうしゅう》なのか、真実《しんじつ》パイセンたちに証明《しょうめい》してもらうにゅ！」

「AI《エーアイ》との知恵《ちえ》比《くら》べ……？」

「そうにゅ。アタシがつくったAI《エーアイ》をのせた3体《たい》のスペシャルロボと、真実《しんじつ》パイセンたち3人《にん》が、それぞれ1対《たい》1で勝負《しょうぶ》して、2勝《しょう》できたら次《つぎ》のフロアに進《すす》む扉《とびら》を開《ひら》いてあげるにゅ」

「ちょっと待《ま》って……3人《にん》って？　ぼ

くたちは、ふたりしかいないよ!?」

健太《けんた》が首《くび》をかしげると、レイアは笑《わら》った。

「ソーリー!!　まだ紹介《しょうかい》してないお仲間《なかま》がもうひとりいるんだにゅ！」

レイアがそう言《い》うと、ガシャン！と、モニターの下《した》の扉《とびら》が開《ひら》いた。

扉《とびら》の向《む》こうから現《あらわ》れたのは……なんと、ハマセンこと、学年主任《がくねんしゅにん》の浜田先生《はまだせんせい》だった。

2体《たい》のロボゼウスに両脇《りょうわき》をかかえられ、無理《むり》やり歩《ある》かされている。

「おいこら！　放《はな》せっていってるだろ！」

「ハマセ……あ、いや、浜田先生《はまだせんせい》!!　どうしてここに!?」

健太《けんた》の声《こえ》に気《き》づくと、ハマセンはロボゼウスの腕《うで》を振《ふ》り払《はら》い、ふたりに駆《か》け寄《よ》った。

「おお、宮下《みやした》に謎野《なぞの》！　もしかして、おまえたちもクロノス社《しゃ》に抗議《こうぎ》に来《き》たのか？」

「抗議《こうぎ》？」

「成績《せいせき》アップのことしか考《かんが》えないクロノス社《しゃ》の方針《ほうしん》に腹《はら》が立《た》ってな。教《きょう》育《いく》っていうのは、もっとこう……血《ち》の通《かよ》ったもののはずだ。だから抗議《こうぎ》に来《き》たんだ！　そしたら、入《い》り口《ぐち》でこいつらに捕《つか》まってしまってな」

　そこまで言《い》うと、ハマセンはバッグからペットボトルの水《みず》を取《と》り出《だ》し、グビリと飲《の》んだ。

「浜田先生《はまだせんせい》、それどころじゃないですよ！」

「なんだ宮下《みやした》？　どうした？」

「転校生《てんこうせい》のレイアちゃん、彼女《かのじょ》はクロノス社《しゃ》の社長《しゃちょう》の娘《むすめ》で、何《なに》かたくらんでるみたいなんです！　早《はや》くこのタワーの最上階《さいじょうかい》に行《い》って、レイアちゃんを止《と》めないと！」

「なんだと!?」

モニターに映《うつ》るレイアは、不敵《ふてき》な笑《え》みを浮《う》かべ、３人《にん》に言《い》った。

「準備《じゅんび》はいいかにゅ？　それじゃあ、１体目《たいめ》のスペシャルロボを起動《きどう》するにゅよ！」

レイアがタブレットを操作《そうさ》すると、真実《しんじつ》たちの右側《みぎがわ》の壁《かべ》の扉《とびら》が開《ひら》いた。

健太《けんた》はゴクリとつばを飲《の》んで身《み》がまえた。

（レイアちゃんがつくったロボットなら、相当手《そうとうて》ごわいやつに違《ちが》いないぞ！）

ウィィィィ――ン
扉《とびら》の奥《おく》から現《あらわ》れたのは、真《ま》っ黒《くろ》な四角《しかく》い箱《はこ》だった。

箱《はこ》の下《した》についた車輪《しゃりん》で、ラジコンのように健太《けんた》たちのほうへと進《すす》んでくる。

「え、これがスペシャルロボ!?」

「なんだこれは？　動《うご》くゴミ箱《ばこ》か？」

ハマセンがつぶやくと、レイアは思《おも》わず声《こえ》を荒《あら》らげた。

「ゴミ箱《ばこ》じゃないにゅ！　それは、計算専用《けいさんせんよう》のスーパーロボなんだにゅ！」

「計算専用《けいさんせんよう》？」

「計算《けいさん》はＡＩ《エーアイ》がいちばん得意《とくい》な作業《さぎょう》で、薬《くすり》の研究《けんきゅう》とか、ロケットの設計《せっけい》とか、いろんな分野《ぶんや》で使《つか》われているんだにゅ。計算《けいさん》の速《はや》さも、正確《せいかく》さも、人間《にんげん》なんかとは比《くら》べ物《もの》にならないにゅ。さあ、このＡＩ《エーアイ》に勝《か》つことができるかにゅ？」

（確《たし》かに……いくら真実《しんじつ》くんでも、計算《けいさん》でＡＩ《エーアイ》には勝《か》てないかも……）

健太《けんた》が真実《しんじつ》を見《み》つめたそのとき、ズイッとハマセンが前《まえ》に出《で》た。

「本当《ほんとう》に人間《にんげん》が劣《おと》っているかどうか、そろばん歴《れき》35年《ねん》のオレが相手《あいて》になってやろう！」

そう言《い》うとハマセンは、バッグから小《ちい》さな携帯用《けいたいよう》のそろばんを取《と》り出《だ》した。

「それじゃあ、さっそく勝負開始《しょうぶかいし》にゅよ！」

「いつでも来《こ》い！」

「７５３１８＋４２９７３－８９２６５＋２１９４７は？」

レイアの声《こえ》を聞《き》きながら、ハマセンはものすごい速《はや》さでそろばんの玉《たま》をはじいた。

計算《けいさん》ロボの黒《くろ》い箱《はこ》の中《なか》で、ほんの一瞬《いっしゅん》、チカッと光《ひかり》が点滅《てんめつ》した。

「**50973っ！**」

「５０９７３デス」

ハマセンと計算《けいさん》ロボ、答《こた》えたのはほぼ同時《どうじ》だった。

「浜田先生《はまだせんせい》すごいよ！」

健太《けんた》の歓声《かんせい》に、ハマセンは得意《とくい》そうにぷっくりと鼻《はな》の穴《あな》をふくらませた。

「今《いま》のはウォーミングアップ、次《つぎ》が本番《ほんばん》にゅよ。問題《もんだい》を解《と》く時間《じかん》は３分《ぷん》にゅ！　それじゃあいくにゅよ！　４１４０７・３６６×５５２８・３÷６１１２・４×３５６２・９÷４５１・88×３５９３９・１３９は？」

「んん〜〜!!」

ハマセンがものすごい速《はや》さでそろばんの玉《たま》をはじく。

しかし、計算《けいさん》ロボは光《ひか》りもせず、動《うご》かないままだった。

「どうした!?　計算《けいさん》が難《むずか》しすぎて壊《こわ》れたか？」

ハマセンがうれしそうにつぶやくと、レイアはそっけなく答《こた》えた。

「こんな問題《もんだい》、計算《けいさん》ロボは0・01秒《びょう》あれば十分《じゅうぶん》にゅ。だから、3分《ぷん》が終《お》わる0・01秒前《びょうまえ》に起動《きどう》するにゅ」

「なんだと〜!?　人《ひと》をバカにして！　いや……え〜と……う〜ん」

ハマセンのそろばんの玉《たま》をはじく速度《そくど》が次第《しだい》に遅《おそ》くなっていく。

「まもなく3分《ぷん》にゅ！」

「あ〜！　もうわからん！」

その瞬間《しゅんかん》、計算《けいさん》ロボの黒《くろ》い箱《はこ》の中《なか》で、チカリと光《ひかり》がまたたいた。

「10612204786・64935875でス」

「正解《せいかい》！　これでAI《エーアイ》の1勝《しょう》にゅね」

ケンタウロス
ギリシャ神話《しんわ》に出《で》てくる怪物《かいぶつ》の一族《いちぞく》。上半身《じょうはんしん》が人間《にんげん》、下半身《かはんしん》が馬《うま》の体《からだ》を持《も》ち、野蛮《やばん》で酒好《さけず》き。

「くそ〜！　小学生《しょうがくせい》がつくった、ゴミ箱《ばこ》に負《ま》けるとは！」

「だからゴミ箱《ばこ》じゃないって言《い》ってるにゅ！　さあ、2体目《たいめ》のロボを起動《きどう》するにゅよ！」

レイアがタブレットの画面《がめん》をタップすると、今度《こんど》は左側《ひだりがわ》の壁《かべ》の扉《とびら》が開《ひら》いた。

ガシャン、ガシャン、ガシャン！

現《あらわ》れたのは、ギリシャ神話《しんわ》に出《で》てくる半人半獣《はんじんはんじゅう》の怪物《かいぶつ》・ケンタウロスのような姿《すがた》のロボットだった。手《て》には、巨大《きょだい》な弓《ゆみ》を持《も》っている。

「なんだあれ……!?」

健太《けんた》は息《いき》をのんだ。

「2体目《たいめ》は、アーチェリーロボだにゅ！」

「アーチェリーロボ？」

アーチェリー
弓《ゆみ》を用《もち》い、的《まと》を射《い》て得《とく》点《てん》を競《きそ》う西洋発祥《せいようはっしょう》の競《きょう》技《ぎ》。日本《にほん》には1939年《ねん》に伝《つた》わった。

「常《つね》に正確《せいかく》であること。それもAI《エーアイ》の長所《ちょうしょ》だにゅ。だいじなときに、感情《かんじょう》にジャマされて、緊張《きんちょう》したり、手《て》が震《ふる》えたりする人間《にんげん》なんかとは大違《おおちが》いなんだにゅ」

ウイィィーーン

真実《しんじつ》たちの足元《あしもと》の床《ゆか》が開《ひら》き、下《した》からアーチェリーの弓《ゆみ》が置《お》かれた台《だい》が現《あらわ》れた。

「さあ、相手《あいて》になるのは、真実《しんじつ》パイセンか、健太《けんた》パイセンか、どっちだにゅ？」

（どうしよう……。もしもアーチェリーロボに負《ま》けたらぼくたちの2敗《はい》。クロノスタワーの最上階《さいじょうかい》に行《い》けなくなっちゃう……）

次《つぎ》の瞬間《しゅんかん》、真実《しんじつ》の声《こえ》が室内《しつない》に響《ひび》いた。

「ぼくが相手《あいて》になろう」

真実《しんじつ》は1歩《ぽ》前《まえ》に進《すす》み、台《だい》の上《うえ》の弓《ゆみ》を手《て》にとると、弦《げん》を指《ゆび》でビィィーーンとはじいた。

「サイズは66インチ。しっかりノッキング感《かん》もある。ぼくにぴったりだ」

「え？　真実《しんじつ》くん、アーチェリーできるの⁉」

「ホームズ学園《がくえん》では、集中力《しゅうちゅうりょく》を高《たか》めるためにアーチェリーの授業《じゅぎょう》があったからね」

「そうなんだ！」

「うふふふ……。今度《こんど》は少《すこ》しはマシな勝負《しょうぶ》になりそうだにゅ！」

真実《しんじつ》たちの正面《しょうめん》の壁《かべ》が左右《さゆう》に開《ひら》き、ふたつの「的《まと》」が現《あらわ》れた。

距離《きょり》はおよそ50メートル。

的《まと》の真《ま》ん中《なか》にある、10センチほどの黄色《きいろ》い丸《まる》が、米粒《こめつぶ》ほどの大《おお》きさにしか見《み》えない。

「もしかして、あそこに当《あ》てるの!?」

さらに、天井《てんじょう》の送風口《そうふうこう》から強《つよ》い風《かぜ》が吹《ふ》きはじめた。

的《まと》を見《み》つめる真実《しんじつ》の髪《かみ》が、バサバサと風《かぜ》に揺《ゆ》れる。

「アタシがつくったスペシャルロボは、センサーで風向《かざむ》きや風速《ふうそく》をすべて計測《けいそく》するにゅよ。たとえ台風《たいふう》の中《なか》でも的《まと》の真《ま》ん中《なか》を外《はず》すことはないにゅ」

「謎野《なぞの》、気合《きあい》だ！　気合《きあい》で風《かぜ》を感《かん》じ取《と》るんだ！」

ペットボトルを握《にぎ》りしめ、ハマセンが叫《さけ》ぶ。

「勝負《しょうぶ》はサドンデス。的《まと》の真《ま》ん中《なか》をはずした場合《ばあい》は、より中心《ちゅうしん》に近《ちか》いほう

サドンデス
一方《いっぽう》が勝《か》ち越《こ》した時点《じてん》で試合《しあい》が終《お》わり、勝《か》ち負《ま》けが決《き》まる方式《ほうしき》。スポーツの試合《しあい》の延長戦《えんちょうせん》などでおこなわれる。サドンデス（sudden death）とは、「突然《とつぜん》の死《し》」という意味《いみ》。

の勝《か》ちにゅよ。それじゃあ、アーチェリーロボから開始《かいし》だにゅ！」

アーチェリーロボは、背中《せなか》のホルダーから矢《や》を引《ひ》き抜《ぬ》くと弓《ゆみ》を構《かま》えた。

ギリギリギリ……

弓《ゆみ》を引《ひ》く瞬間《しゅんかん》、目《め》の奥《おく》のセンサーがチカチカと赤《あか》く点滅《てんめつ》した。そして……。

バシュウン！

閃光《せんこう》のような勢《いきお》いの矢《や》が放《はな》たれた。

「速《はや》っ！」

健太《けんた》が叫《さけ》んだ瞬間《しゅんかん》、矢《や》は、50メートル先《さき》の的《まと》の真《ま》ん中《なか》を射抜《いぬ》いていた。

「うお～！　なんという正確《せいかく》さだ……！」

ハマセンがあんぐりと口《くち》を開《ひら》く。

次《つぎ》は真実《しんじつ》の番《ばん》だ。

真実《しんじつ》は「フ――ッ」と息《いき》を吐《は》くと、ピンと背筋《せすじ》をのばし、弓《ゆみ》を構《かま》えた。

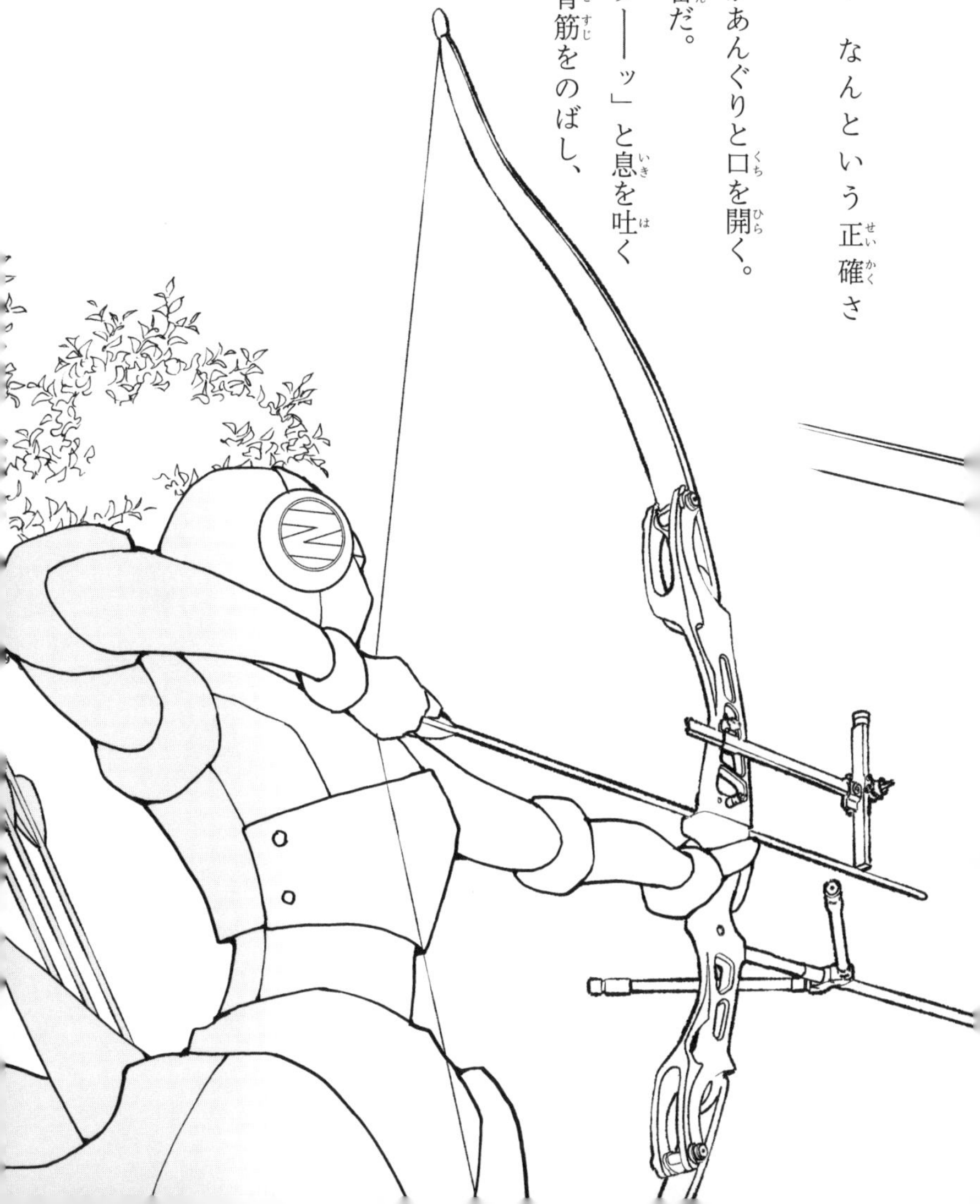

矢《や》を握《にぎ》った右手《みぎて》をギリギリと静《しず》かに引《ひ》く。

そして、激《はげ》しい風《かぜ》の流《なが》れを読《よ》むかのように、眼鏡《めがね》の奥《おく》で目《め》を細《ほそ》めた。


ピシュウン！


放《はな》たれた矢《や》は、風《かぜ》に流《なが》されカーブを描《えが》きながら、みごとに的《まと》の真《ま》ん中《なか》を貫《つらぬ》いた。

「やったあ！　さすが真実《しんじつ》くん！」

「おお～！　すごいぞ謎野《なぞの》！」

「なかなかやるにゅ！　それじゃあ、これならどうにゅ⁉」

レイアがタブレットの画面《がめん》をタップすると、送風口《そうふうこう》からさらに強《つよ》い風《かぜ》が吹《ふ》きはじめた。

室内《しつない》の木々《きぎ》の葉《は》が、激《はげ》しく揺《ゆ》れ動《うご》く。

「ずるいよ！　こんなんじゃ、いくら真実《しんじつ》くんでも勝《か》てっこないよ！」

「人間《にんげん》の力《ちから》なんてそんなものだにゅ。アタシのつくったアーチェリーロボは、一度《いちど》ねらいをつければ、的《まと》は絶対《ぜったい》にはずさないにゅ！」

レイアの言葉《ことば》に、真実《しんじつ》はハッとした。

「一度《いちど》ねらいをつければ……？　そうか！」

クルリと体《からだ》を返《かえ》すと、真実《しんじつ》はハマセンのもとへ向《む》かった。

「どうした⁉　謎野《なぞの》」

「すみません。先生《せんせい》、この水《みず》、お借《か》りします」

そう言《い》うと、ハマセンが持《も》っていたペットボトルを手《て》に取《と》った。

「レイアさん。次《つぎ》はぼくが先攻《せんこう》でいいかな？」

「もちろん。ノープロブレムだにゅ」

「ありがとう」

真実《しんじつ》は、再《ふたた》び「フ――ッ」と息《いき》を吐《は》くと、するどい視線《しせん》で的《まと》を見《み》つめた。

そして、次《つぎ》の瞬間《しゅんかん》。

真実《しんじつ》は、ペットボトルを的《まと》にめがけて放《ほう》り投《な》げた。

「ええっ⁉」

驚《おどろ》き、息《いき》をのむ健太《けんた》。

真実《しんじつ》はすばやく弓《ゆみ》を構《かま》えると、ビシュッと矢《や》を放《はな》った。

バシャーン！

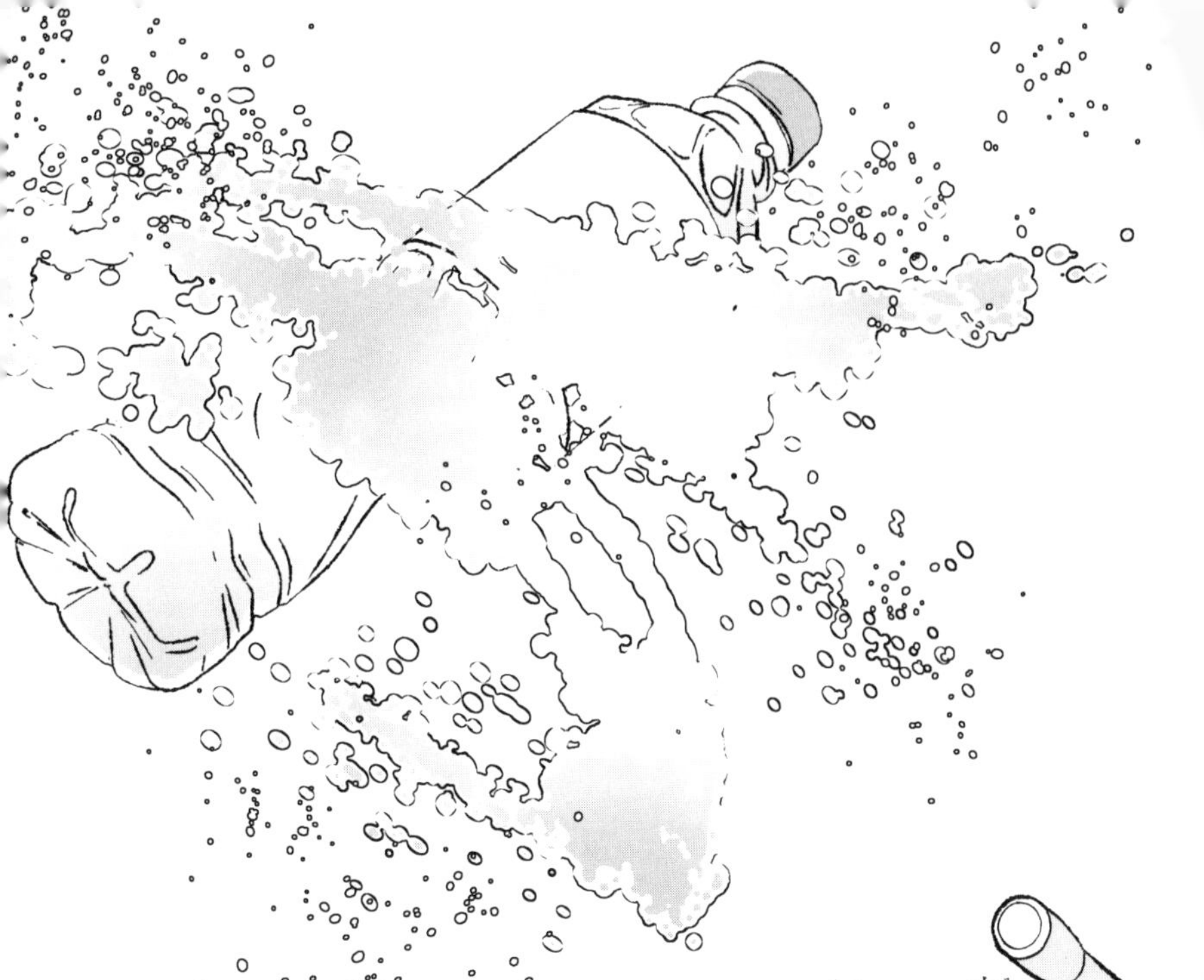

水《みず》がはじける。

ペットボトルを射抜《いぬ》いた矢《や》は、そのまま的《まと》に突《つ》き刺《さ》さった。

わずかに、的《まと》の真《ま》ん中《なか》の黄色《きいろ》い丸《まる》をはずしている。

「あ〜、はずれた！　どうしていきなりペットボトルをねらったの!?」

「さすがの真実《しんじつ》パイセンもＡＩ《エーアイ》のすごさに動揺《どうよう》したのかにゅ？」

「……さあ、次《つぎ》はそちらの番《ばん》だ」

真実《しんじつ》はモニターを見上《みあ》げ、レイアに言《い》った。

「うっふっふ。勝《か》ちはもらったにゅ。

アーチェリーロボ、勝負《しょうぶ》を決《き》めるにゅ！」
アーチェリーロボは弓《ゆみ》を構《かま》えると、すばやく的《まと》にねらいをつけた。
（あ〜、真実《しんじつ》くんが負《ま》けちゃう！）
しかし、次《つぎ》の瞬間《しゅんかん》――。
ウィン
ロボは矢《や》の先《さき》を、下《した》に向《む》けた。
センサーの赤《あか》い光《ひかり》が激《はげ》しく点滅《てんめつ》する。
ウィン　ウィン　ウィン　ウィン
上《うえ》へ、下《した》へ。ロボは、何度《なんど》も矢《や》の向《む》きを変《か》えた。
「どうしたにゅ⁉　何《なに》を迷《まよ》ってるにゅ！」
「あっ、浜田先生《はまだせんせい》！　あれを見《み》て！」
健太《けんた》が指《ゆび》さしたその先《さき》に、もうひとつの的《まと》があった。

「なに⁉　的《まと》がふたつ⁉」

それは、床《ゆか》にできた水《みず》たまりだった。水《みず》たまりに壁《かべ》の的《まと》が反射《はんしゃ》して、まるでふたつあるように見《み》えていたのだ。

「そうか！　こうするために、ペットボトルを射抜《いぬ》いたんだね！」

健太《けんた》が言《い》うと、真実《しんじつ》はうなずいた。

「ああ。ＡＩ《エーアイ》は、見《み》たものをデータとして認識《にんしき》する。だから、本物《ほんもの》と水《みず》に映《うつ》った的《まと》の区別《くべつ》がつきにくい。もしも、的《まと》がふたつあったらどうなるかな？」

ビシュウン！

アーチェリーロボが矢《や》を放《はな》った。

その矢《や》が向《む》かったのは――水《みず》たまりに映《うつ》ったほうの的《まと》だった。

「やった～、はずれた～！　真実《しんじつ》くんの勝《か》ちだ～！」

「うう～！　さすがは真実《しんじつ》パイセン、やってくれるにゅ！　これで1勝《しょう》1敗《ぱい》だにゅ。でも、最後《さいご》の勝負《しょうぶ》は絶対《ぜったい》負《ま》けないにゅよ！」

三《みっ》つ目《め》の扉《とびら》が開《ひら》きはじめた。

（次《つぎ》の相手《あいて》はぼくだ……！　今度《こんど》はいったい、なんのスペシャルロボなんだ!?）

健太《けんた》は、汗《あせ》がにじむ手《て》のひらをギュッと握《にぎ》りしめた。

ウィィン…ガシャン　ウィィン…ガシャン
扉《とびら》の奥《おく》から姿《すがた》を現《あらわ》したのは、白《しろ》い衣装《いしょう》に身《み》を包《つつ》んだ人型《ひとがた》ロボットだった。

「あっ、これは美希《みき》ちゃんの家《いえ》にいたシェフゼウスだ！」

最先端《さいせんたん》のＡＩ《エーアイ》を取《と》り入《い》れた美希《みき》の家《いえ》のキッチンには、調理《ちょうり》ロボット・シェフゼウスが置《お》かれていたのだ。

「ってことは、まさか、料理対決《りょうりたいけつ》!?」

「そうだにゅ。家庭用《かていよう》のシェフゼウスにさらに改良《かいりょう》を加《くわ》えた、スペシャルロボが次《つぎ》の相手《あいて》だにゅ。このＡＩ《エーアイ》には三《み》ツ星《ぼし》レストランのレシピがインプット済《ず》み、さらに、その日《ひ》の気温《きおん》や湿度《しつど》に合《あ》わせて、味付《あじつ》けの微調整《びちょうせい》をするセンサーも付《つ》いてるにゅ。人間《にんげん》の五感《ごかん》なんかよりＡＩ《エーアイ》のほうが優《すぐ》れていることを思《おも》い知《し》るんだにゅ！」

健太《けんた》は、真実《しんじつ》とハマセンのもとに駆《か》け寄《よ》った。

「どうしよ～！　ぼく、料理《りょうり》なんてほとんどしたことないし！」

「落《お》ち着《つ》け宮下《みやした》！　つくれるもの、何《なに》かあるだろ、何《なに》か！」

「え〜と……そういえば！」

健太《けんた》には、たったひとつだけ得意《とくい》な料理《りょうり》があった。

毎年《まいとし》、母《はは》の日《ひ》と父《ちち》の日《ひ》に健太《けんた》がつくり、食《た》べてもらうチャーハンだ。

つくるたびに、ふたりとも「おいしい、おいしい」と喜《よろこ》んで食《た》べてくれる一品《いっぴん》だった。

「ぼく、チャーハンならつくれるよ！」

「チャーハン!?」

健太《けんた》の答《こた》えに、ハマセンの声《こえ》が裏返《うらがえ》る。

モニターの中《なか》でレイアが笑《わら》い声《ごえ》をあげた。

「うっふっふ〜！　勝負《しょうぶ》の判定《はんてい》は、できた料理《りょうり》をアタシが食《た》べ比《くら》べて決《き》めるにゅよ。もちろん、公平《こうへい》に判定《はんてい》するにゅ。まあ、食《た》べるまでもないみたいだけどにゅ！」

真実《しんじつ》は、健太《けんた》の肩《かた》にそっと手《て》を置《お》いた。

「だいじょうぶ。ＡＩ《エーアイ》にだって、何《なに》か苦手《にがて》なことがきっとあるはずだ。ぼくはそれを探《さが》す。健太《けんた》くんは、今《いま》、この場《ば》でつくれる最高《さいこう》のチャーハンを完成《かんせい》させるんだ」

真実《しんじつ》の言葉《ことば》を聞《き》くうちに、健太《けんた》はあることを思《おも》い出《だ》した。

「そういえば、お母《かあ》さんがいつも言《い》ってるんだ。おいしい料理《りょうり》をつくるコツは、食《た》べる人《ひと》の顔《かお》をしっかり見《み》てつくることだって。それって気持《きも》ちが大切《たいせつ》ってことだよね!?」

「食《た》べる人《ひと》の顔《かお》を見《み》ながらつくる……？」

真実《しんじつ》が聞《き》き返《かえ》した瞬間《しゅんかん》、床《ゆか》から巨大《きょだい》なキッチンとテーブルがせり上《あ》がってきた。

「それでは、料理《りょうり》対決《たいけつ》スタートだにゅ！」

「ぼく、やってみるよ！」

健太《けんた》は、さまざまな食材《しょくざい》が並《なら》べられた中央《ちゅうおう》のテーブルに駆《か》け寄《よ》った。

グルメ番組《ばんぐみ》で見《み》るような、高級《こうきゅう》そうな肉《にく》や新鮮《しんせん》な魚介《ぎょかい》、見《み》たことのない外国《がいこく》の野菜《やさい》が山《やま》のように積《つ》まれている。食材《しょくざい》を

新鮮《しんせん》に保《たも》つため、この部屋《へや》の室温《しつおん》も低《ひく》めに設定《せってい》されているようだ。

（ええっと、ぼくがいつもチャーハンに入《い》れるのは……卵《たまご》に、ハムに、かまぼこにレタス……最後《さいご》に小《こ》ネギを散《ち》らして……）

次々《つぎつぎ》と食材《しょくざい》を手《て》にしていく健太《けんた》。

「あ〜！　宮下《みやした》のヤツ、だいじょうぶか？　あんなに高級食材《こうきゅうしょくざい》があるのに、なんだって安《やす》い材料《ざいりょう》ばっかり選《えら》ぶんだ!?」

ハマセンは頭《あたま》をかかえた。

シェフゼウスは、大《おお》きなオマール海老《えび》と色《いろ》とりどりの野菜《やさい》をまな板《いた》にのせると、むだのない包丁《ほうちょう》さばきで海老《えび》の殻《から》を割《わ》り、フライパンで焼《や》きはじめた。

あたりに、オマール海老《えび》の焼《や》ける香《こう》ばしいにおいがただよいはじめる。

(ぼくだって、チャーハンのつくり方《かた》なら、これまで何年《なんねん》も研究《けんきゅう》してきたんだ！)

健太《けんた》はボウルに卵《たまご》を割《わ》ると、かき混《ま》ぜて、熱《ねっ》したフライパンに注《そそ》いだ。

ジュ――！　フライパンに、鮮《あざ》やかな黄色《きいろ》が広《ひろ》がる。

(おいしいチャーハンは先《さき》に卵《たまご》。フワトロのうちにご飯《はん》を入《い》れる！)

しかし緊張《きんちょう》のためか、手《て》が思《おも》うように動《うご》かない。卵《たまご》はフワトロを通《とお》り越《こ》し、しっかりと固《かた》まりはじめた。

「ああ～、もう見《み》てられん！　謎野《なぞの》、なんとかならんのか!?」

真実《しんじつ》は、健太《けんた》の母親《ははおや》の言葉《ことば》を思《おも》い出《だ》していた。

「……食《た》べる人《ひと》の顔《かお》を見《み》ながらつくる……どういう意味《いみ》だろう？」

モニターに目《め》を向《む》けると、そこには、勝負《しょうぶ》の行方《ゆくえ》を見守《みまも》るレイアの姿《すがた》があった。

この勝負《しょうぶ》で料理《りょうり》を「食《た》べる人《ひと》」はレイアだ。だとすれば「顔《かお》を見《み》る」の

オマール海老《えび》
大《おお》きなはさみを持《も》つ大《おお》型《がた》のエビ（厳密《げんみつ》にはザリガニの仲間《なかま》）。オマール海老《えび》は、フランス語《ご》でハンマーを意味《いみ》するオマール（homard）から。英語《えいご》ではロブスター（lobster）という。

はレイアということになる。

真実《しんじつ》は、モニターの中《なか》のレイアの顔《かお》をじっと見《み》つめた。

ひたいにうっすらと汗《あせ》をかいているように見《み》える。


「そうか！　そういうことか」


真実《しんじつ》は、健太《けんた》から預《あず》かったタブレットの画面《がめん》のナナミに話《はな》しかけた。

「ゼウス。このタワーの最上階《さいじょうかい》、レイアさんがいる部屋《へや》の温度《おんど》がわかるかい？」

「ハイ。最上階《さいじょうかい》の室温《しつおん》は現在《げんざい》27度《ど》。この部屋《へや》より、かなり高《たか》めでス」

「やっぱりそうか。もしかしたら、三《み》ツ星《ぼし》レストランの味《あじ》に勝《か》てるかもしれない」

真実《しんじつ》は、真剣《しんけん》な表情《ひょうじょう》でチャーハンを炒《いた》める健太《けんた》のもとにすばやく駆《か》け寄《よ》った。

「健太《けんた》くん。わかったよ。きみのお母《かあ》さんの言葉《ことば》の意味《いみ》が」

「えっ、どういうこと!?」

「ぼくの考《かんが》えが正《ただ》しければ、ある調味料《ちょうみりょう》を少《すこ》し多《おお》めに入《い》れればいいんだ。そうすれば、シェフゼウスに勝《か》てるチャンスはある！」

「三《み》ツ星《ぼし》レストランの味《あじ》に勝《か》てるの!?　ぼくのチャーハンが!?」

真実《しんじつ》が指《ゆび》さした先《さき》には、三《みっ》つの調味料《ちょうみりょう》が置《お》かれていた。

砂糖《さとう》

塩《しお》

コショウ

いったい、どの調味料《ちょうみりょう》を少《すこ》し多《おお》めに加《くわ》えればよいのだろうか？

最上階《さいじょうかい》の部屋《へや》は
室温《しつおん》が高《たか》く
レイアさんは汗《あせ》を
かいていたようだ。

解《かい》決《けつ》編《へん》

クロノスタワーの最上階《さいじょうかい》。

計器《けいき》とモニターで埋《う》めつくされた部屋《へや》に、リリリリッとベルの音《おと》が響《ひび》いた。

「高速《こうそく》リフトで、完成《かんせい》した料理《りょうり》が届《とど》いたにゅ」

レイアがリフトの扉《とびら》を開《ひら》くと、銀《ぎん》のふたに覆《おお》われたふたつの皿《さら》が並《なら》んでいた。

「まずは、シェフゼウスの料理《りょうり》から食《た》べてみるにゅ」

銀《ぎん》のふたを開《あ》けると、中《なか》から、美《うつく》しい料理《りょうり》が現《あらわ》れた。


「わ〜おにゅ！」


まるでケーキのように重《かさ》ねられた、焼《や》き野菜《やさい》と肉厚《にくあつ》のオマール海老《えび》。横《よこ》には、網目模様《あみめもよう》のオシャレな焼《や》き菓子《がし》が添《そ》えられ、まわりには、色鮮《いろあざ》やかな赤《あか》と黄色《きいろ》のソースがあしらわれている。

モニターに映《うつ》ったシェフゼウスが優雅《ゆうが》な口調《くちょう》で解説《かいせつ》を始《はじ》める。

「コチラは、オマール海老《えび》のポワレ、赤《あか》ピーマンのソースと海老《えび》みその焼《や》き菓子《がし》添《ぞ》えでございまス。香《こう》ばしく焼《や》き上《あ》げたオマール海《え》老《び》の上品《じょうひん》な甘《あま》みと、さわやかなソースのハーモニーをお楽《たの》しみくださイ」

レイアは、海老《えび》を切《き》り分《わ》けてソースをつけると、パクリと口《くち》へ放《ほう》り込《こ》んだ。

「ん〜、トレビアーン！　さすが三《み》ツ星《ぼし》レストランの味《あじ》だにゅ！　プリップリの食感《しょっかん》に、さっぱりと上品《じょうひん》なお味《あじ》がたまらないにゅ！」

レイアがシェフゼウスの料理《りょうり》を味《あじ》わうようすをモニターで見《み》つめる健太《けんた》たち。

「……本当《ほんとう》に、さっきの味《あじ》つけであの料理《りょうり》に勝《か》てるの？」

不安《ふあん》そうにつぶやく健太《けんた》に、真実《しんじつ》は

うなずいてみせた。

「だいじょうぶ。料理《りょうり》だって科学《かがく》の一種《いっしゅ》さ」

「さあ、次《つぎ》は、健太《けんた》パイセンの料理《りょうり》を食《た》べてみるにゅよ！」

銀《ぎん》のふたを開《あ》けると、中《なか》から現《あらわ》れたのは——卵《たまご》こそやや炒《いた》め過《す》ぎだが、ご飯《はん》もパラリと仕《し》上《あ》がり、散《ち》らした小《こ》ネギの彩《いろど》りも美《うつく》しい、なかなかの出来《でき》のチャーハンだった。

「見《み》た目《め》はまあまあにゅね。まあ、一応味見《いちおうあじみ》をしてみるにゅ」

そう言《い》うと、レイアはチャーハンをレンゲですくい、口《くち》にした。

「いくらがんばってもチャーハンはチャーハン。予想《よそう》どおりの味《あじ》にゅ……ん？」

パチクリとまばたきをするレイア。

「もったいないから、もうひと口《くち》だけ食《た》べてみるにゅ。……ん。んん!?」

ふた口《くち》、三口《みくち》……レイアは何度《なんど》も、チャーハンを口《くち》に運《はこ》んだ。


「おかしいにゅ〜！　体《からだ》が欲《ほ》しがって、手《て》が止《と》まらないにゅ〜！」

なんと、レイアはまたたく間《ま》に、チャーハンをきれいに完《かん》食《しょく》してしまった。

オマール海老《えび》の料理《りょうり》は半分《はんぶん》以上《いじょう》お皿《さら》に残《のこ》されている。

健太《けんた》の圧勝《あっしょう》だった。

いちばん驚《おどろ》いているのは、チャーハンをつくった健太《けんた》本人《ほんにん》だ。

「どうして!?　ぼく、『塩《しお》』を少《すこ》し多《おお》めに入《い》れただけなのに……!」

そう。真実《しんじつ》が選《えら》んだ調味料《ちょうみりょう》は

「塩《しお》」だった。

「いったいどういうことだにゅ⁉　真実《しんじつ》パイセン！」

真実《しんじつ》はモニターのレイアを見上《みあ》げて言《い》った。

「簡単《かんたん》なことだよ。きみは室温《しつおん》の高《たか》い部屋《へや》で汗《あせ》をかいていた。つまり、体《からだ》の中《なか》の塩分《えんぶん》が多《おお》く外《そと》に出《で》ている状態《じょうたい》だったのさ。だから、塩味《しおあじ》が強《つよ》いものを体《からだ》が欲《ほ》しがったんだよ。一方《いっぽう》、この涼《すず》しい部屋《へや》のデータをもとに味付《あじつ》けしたシェフゼウスの料理《りょうり》は、きみには物足《ものた》りなく感《かん》じたんだ」

レイアは自分《じぶん》のひたいに触《ふ》れて、にじむ汗《あせ》に気《き》づくと、悔《くや》しそうに顔《かお》をしかめた。

「ぐっ……ぐにゅ～！」

「そうだったのか！　すごいよ真実《しんじつ》くん！」

「すべて健太《けんた》くんのお母《かあ》さんの言葉《ことば》のおかげだよ。相手《あいて》のことをよく見《み》れば、今《いま》、その人《ひと》に何《なに》が必要《ひつよう》か……それがわかるんだ」

モニターの向《む》こうで、レイアがタブレットを操作《そうさ》した。

「さすが真実《しんじつ》パイセン。ごほうびに、次《つぎ》のフロアに進《すす》む扉《とびら》のロックを30秒《びょう》だけ解除《かいじょ》してあげるにゅ！」

ウイイーーン！

壁《かべ》の中央《ちゅうおう》にある扉《とびら》が開《ひら》いた。

「さあ。先《さき》に進《すす》もう！」

真実《しんじつ》が声《こえ》をかけたそのとき、ツルリと健太《けんた》が足《あし》を滑《すべ》らせて転《ころ》んだ。

「うわあ！」

チャーハンをつくったとき、あわてて床《ゆか》に油《あぶら》をこぼしてしまったのだ。

「宮下《みやした》ぁ！　早《はや》く来《こ》い！」

扉《とびら》のそばでハマセンが叫《さけ》ぶ。しかし、あわてればあわてるほど、ツルツルと足《あし》が滑《すべ》って、立《た》ち上《あ》がることができない。

やがて、扉《とびら》の上《うえ》のランプが赤《あか》く点滅《てんめつ》をはじめた。

「時間《じかん》がないぞ！」

ハマセンの声《こえ》を聞《き》いた真実《しんじつ》はサッと扉《とびら》を離《はな》れ、健太《けんた》のもとへ向《む》かった。

「健太《けんた》くんを連《つ》れて戻《もど》ります！」

真実《しんじつ》は、ジャンプして油《あぶら》がこぼれた床《ゆか》を跳《と》び越《こ》え、キッチンのテーブルに滑《すべ》り込《こ》むと、ボウルの中《なか》から小麦粉《こむぎこ》をひとつかみ握《にぎ》って、すばやく床《ゆか》にまいた。

「立《た》って！　走《はし》るんだ！」

健太《けんた》が足《あし》に力《ちから》を入《い》れると、ギュッと小麦粉《こむぎこ》が滑《すべ》り止《ど》めになった。

「早《はや》くしろお〜〜！」

ハマセンは、閉《し》まりはじめた扉《とびら》を必死《ひっし》の力《ちから》で押《お》さえていた。

その狭《せま》いすきまを、真実《しんじつ》と健太《けんた》は滑《すべ》り込《こ》むようにしてすり抜《ぬ》けた。

「やった〜！　ありがとう真実《しんじつ》くん、浜田先生《はまだせんせい》！」

健太《けんた》が振《ふ》り向《む》くと、扉《とびら》を押《お》さえるハマセンは真《ま》っ赤《か》な顔《かお》をしていた。

「ぐう〜！　オレはもうダメだ……！　謎野《なぞの》！　宮下《みやした》！　おまえら頼《たの》んだぞ〜！」

ガガーーン！

大《おお》きな音《おと》を立《た》てて閉《し》まる扉《とびら》。ハマセンはその向《む》こうに姿《すがた》を消《け》した。

「浜田《はまだ》せんせーーい!!」

健太《けんた》は叫《さけ》んだが、分厚《ぶあつ》い壁《かべ》にさえぎられ、返事《へんじ》は聞《き》こえなかった。

「ぼくのせいで先生《せんせい》が取《と》り残《のこ》されちゃった……」

「浜田先生《はまだせんせい》は抗議《こうぎ》に来《き》たって言《い》ってたよね。ぼくも同《おな》じ気持《きも》ちだよ」

真実《しんじつ》は、厳《きび》しい表情《ひょうじょう》で前《まえ》を見《み》つめた。

真実《しんじつ》の声《こえ》に、健太《けんた》も前《まえ》を向《む》く。

ふたりの視線《しせん》の先《さき》には、次《つぎ》のフロアにつながる階段《かいだん》が照《て》らし出《だ》されていた。

5

SCIENCE TRICK DATA FILE

科学《かがく》トリック データファイル

AI《エーアイ》は人間《にんげん》を超《こ》えるか？

AI《エーアイ》の実力《じつりょく》は、どれくらいなのでしょうか？
さまざまな分野《ぶんや》でのAI《エーアイ》の健闘《けんとう》を見《み》てみましょう。

クイズや
囲碁《いご》などでは、
人間《にんげん》はAI《エーアイ》に
負《ま》けているんだね

チェス・囲碁《いご》・将棋《しょうぎ》

1997年《ねん》、AI《エーアイ》「ディープブルー」が、チェスで当時《とうじ》の世界王者《せかいおうじゃ》に勝利《しょうり》。また、囲碁《いご》や将棋《しょうぎ》でも、2016年《ねん》にAI《エーアイ》「アルファ碁《ご》」が当時《とうじ》世界最強《せかいさいきょう》といわれた囲碁棋士《いごきし》に、17年《ねん》にはAI《エーアイ》「PONANZA《ポナンザ》」が将棋《しょうぎ》の名人《めいじん》に、それぞれ勝利《しょうり》した。

AI《エーアイ》は決《き》まった
ルールがある
分野《ぶんや》が得意《とくい》
なんだ

創作活動《そうさくかつどう》

2016年《ねん》、ＡＩ《エーアイ》を使《つか》って創作《そうさく》した小説《しょうせつ》が、ある文学賞《ぶんがくしょう》の１次審査《じしんさ》を通《とお》ったことが話題《わだい》になった。また20年《ねん》には、故《こ》·手塚治虫《てづかおさむ》のマンガを学習《がくしゅう》したＡＩ《エーアイ》が生《う》み出《だ》した新《あたら》しいマンガ作品《さくひん》が、雑誌《ざっし》に掲載《けいさい》された。

クイズ

2011年《ねん》、ＡＩ《エーアイ》「ワトソン」が、クイズ番組《ばんぐみ》で歴代《れきだい》チャンピオン２人《ふたり》に勝《か》った！

人間《にんげん》にしかできないと思《おも》われていた分野《ぶんや》でも活躍《かつやく》！

大学受験《だいがくじゅけん》

2016年《ねん》、ＡＩ《エーアイ》「東《とう》ロボくん」が４度目《どめ》の東京《とうきょう》大学受験《だいがくじゅけん》(模試《もし》)に挑戦《ちょうせん》したが、合格《ごうかく》レベルに達《たっ》せず、以降《いこう》、東大受験《とうだいじゅけん》を断念《だんねん》した。
しかし、文章《ぶんしょう》の理解《りかい》が必要《ひつよう》な英語《えいご》や国語《こくご》では苦戦《くせん》したものの、世界史《せかいし》などでは高得点《こうとくてん》を取《と》ることができた。

不合格

ふたりの美《み》希《き》、

暴走《ぼうそう》するAI《エーアイ》[後編《こうへん》]6

現《あらわ》る!?

真実《しんじつ》と健太《けんた》は、ひとつ上《うえ》の階《かい》へとやってきた。

健太《けんた》は、ふと美希《みき》のことが気《き》になった。

「美希《みき》ちゃんたち、無事《ぶじ》かな……」

健太《けんた》の不安《ふあん》は、思《おも》わず声《こえ》となって出《で》た。

「真実《しんじつ》くん、ぼく、ちょっと美希《みき》ちゃんに連絡《れんらく》してみるよ」

「うん。それに今《いま》、外《そと》の世界《せかい》がどうなっているのかも知《し》りたいところだね」

「ナナミちゃん、お願《ねが》い！　美希《みき》ちゃんに連絡《れんらく》して」

「健太《けんた》サン、かしこまりましタ！」

タブレットの中《なか》のナナミは笑顔《えがお》でそう答《こた》え、音声通話《おんせいつうわ》を美希《みき》へ発信《はっしん》した。

しかし、つながらない。

「あれ、おかしいなぁ。美希《みき》ちゃん、タブレットの電源《でんげん》、切《き》ってるのかなぁ」

「健太《けんた》サン、いま確認《かくにん》したところ、このビル全体《ぜんたい》で、電波《でんぱ》が遮断《しゃだん》されていまス。そのために、外《そと》と通信《つうしん》できないのでス」

「え、ナナミちゃん、この建物《たてもの》ごとシャダン!?」

健太《けんた》は驚《おどろ》いて大《おお》きな声《こえ》をあげた。

真実《しんじつ》も、まわりに視線《しせん》をめぐらせてつぶやいた。

「健太《けんた》くん……ぼくらは、このビルに攻《せ》め込《こ》んだと思《おも》っていたけど……罠《わな》にはまってしまったのかもしれないね」

「え、罠《わな》に!?」

「うん。ぼくらがここで、レイアさんからの挑戦《ちょうせん》を受《う》けているあいだに、もしかすると、外《そと》で何《なに》かがおこなわれようとしているのかもしれない」

「ひょっとして、レイアちゃんは、ぼくらをここに閉《と》じ込《こ》めるのが目的《もくてき》だったってこと？」

「その可能性《かのうせい》は高《たか》いね。でもまずは、レイアさんの関門《かんもん》を突破《とっぱ》しなければ。健太《けんた》くん、先《さき》を急《いそ》ごう！」

「うん！」

そのとき、ふたりの会話《かいわ》をあざ笑《わら》うかのようなレイアの声《こえ》がフロアに響《ひび》き渡《わた》った。

「まあまあ、パイセンたち、
あわてないっ、あわてないっ。
もっとアタシのAI《エーアイ》ワールドを
見《み》せたいにゅよ。さぁ、こっちこっち。
パイセンたちに最先端《さいせんたん》の研究《けんきゅう》を
お見《み》せするにゅ～!!」

突然《とつぜん》、床《ゆか》の上《うえ》に、順路《じゅんろ》を示《しめ》す発光《はっこう》するオレンジ色《いろ》の矢印《やじるし》が浮《う》かびあがった。

「あ、あんなところに矢印《やじるし》が！」

「進《すす》むしかないようだね。健太《けんた》くん、気《き》をつけながら行《い》こう」

健太《けんた》はうなずき、真実《しんじつ》とともに、あたりを警戒《けいかい》しながら矢印《やじるし》の方向《ほうこう》へと進《すす》んだ。

途中《とちゅう》の壁《かべ》には、レイアのこだわりなのか、機械《きかい》や計器《けいき》がぎっしりと埋《う》め込《こ》まれていた。

（映画《えいが》に出《で》てくる宇宙船《うちゅうせん》みたいだ……）

健太《けんた》は思《おも》わず見《み》とれてしまった。

（悔《くや》しいけど、めちゃめちゃカッコイイ。こんなものをつくってしまうレイアちゃんって、すごいな……）

健太《けんた》と真実《しんじつ》が先《さき》へと進《すす》んでいくと、動《うご》く歩道《ほどう》が見《み》えた。

ふたりは手《て》すりを持《も》ち、足元《あしもと》で動《うご》き続《つづ》けるベルトコンベヤーに体重《たいじゅう》を預《あず》けた。

歩道《ほどう》はゆるやかに前進《ぜんしん》し、右手《みぎて》にはガラス張《ば》りの窓《まど》から研究施設《けんきゅうしせつ》が見《み》えた。

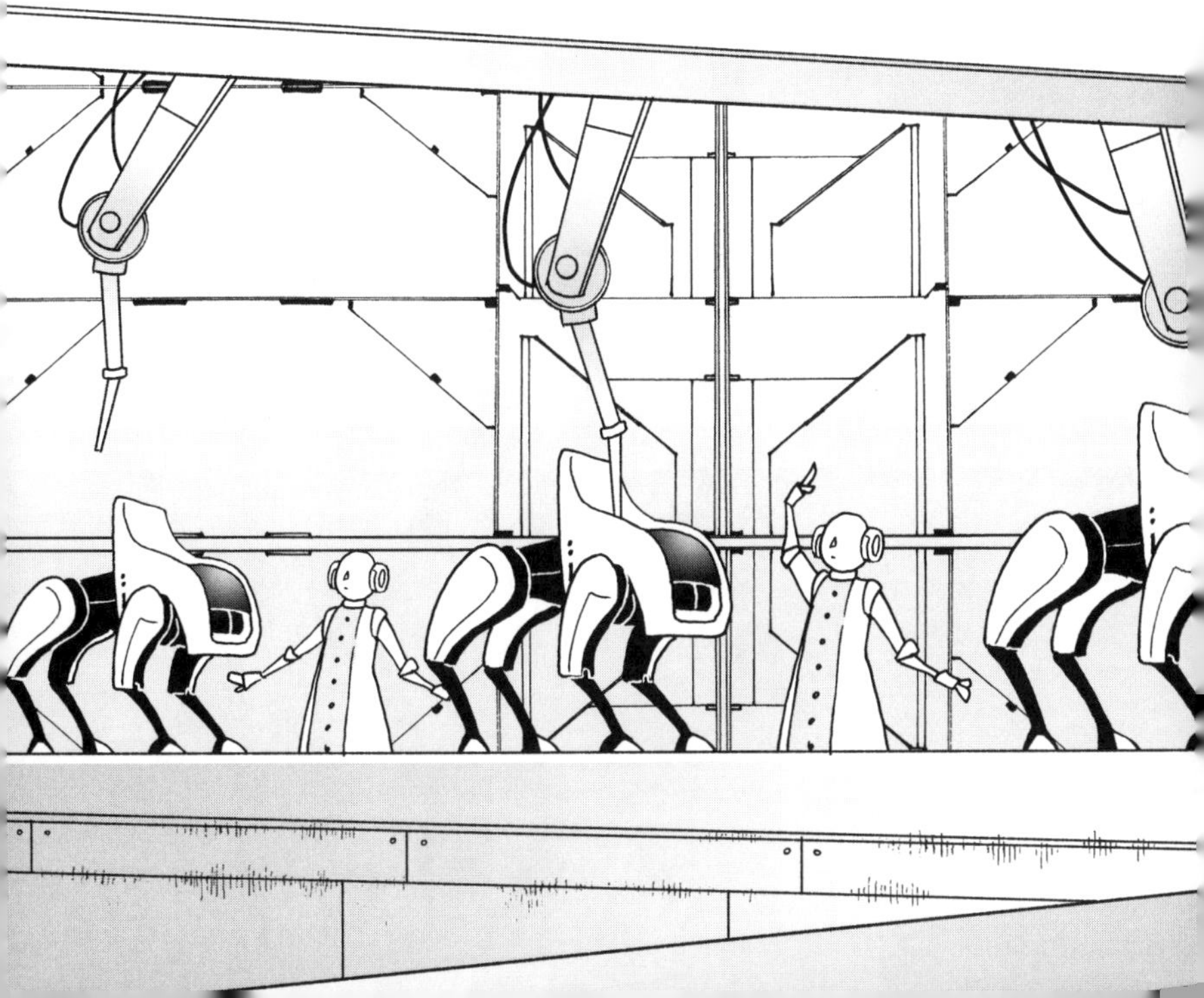

**「ロボットがつくられてる！
すごい……」**

そこでは、人型《ひとがた》のロボットが管理《かんり》するなか、次々《つぎつぎ》に新《あたら》しいロボットが生《う》み出《だ》されていた。

できあがったロボットは、まるで生《い》きた動物《どうぶつ》のように、４本《ほん》のあしを器用《きよう》に動《うご》かし、すばやく歩《ある》き回《まわ》っている。

レイアの声《こえ》が響《ひび》いた。

「開発《かいはつ》したばかりの四足歩行《しそくほこう》ロボットだにゅ。そのテストをおこなっているにゅ!!」

「まるで生《い》きてるみたいだ」

健太《けんた》は、目《め》を丸《まる》くしてロボットを見《み》た。

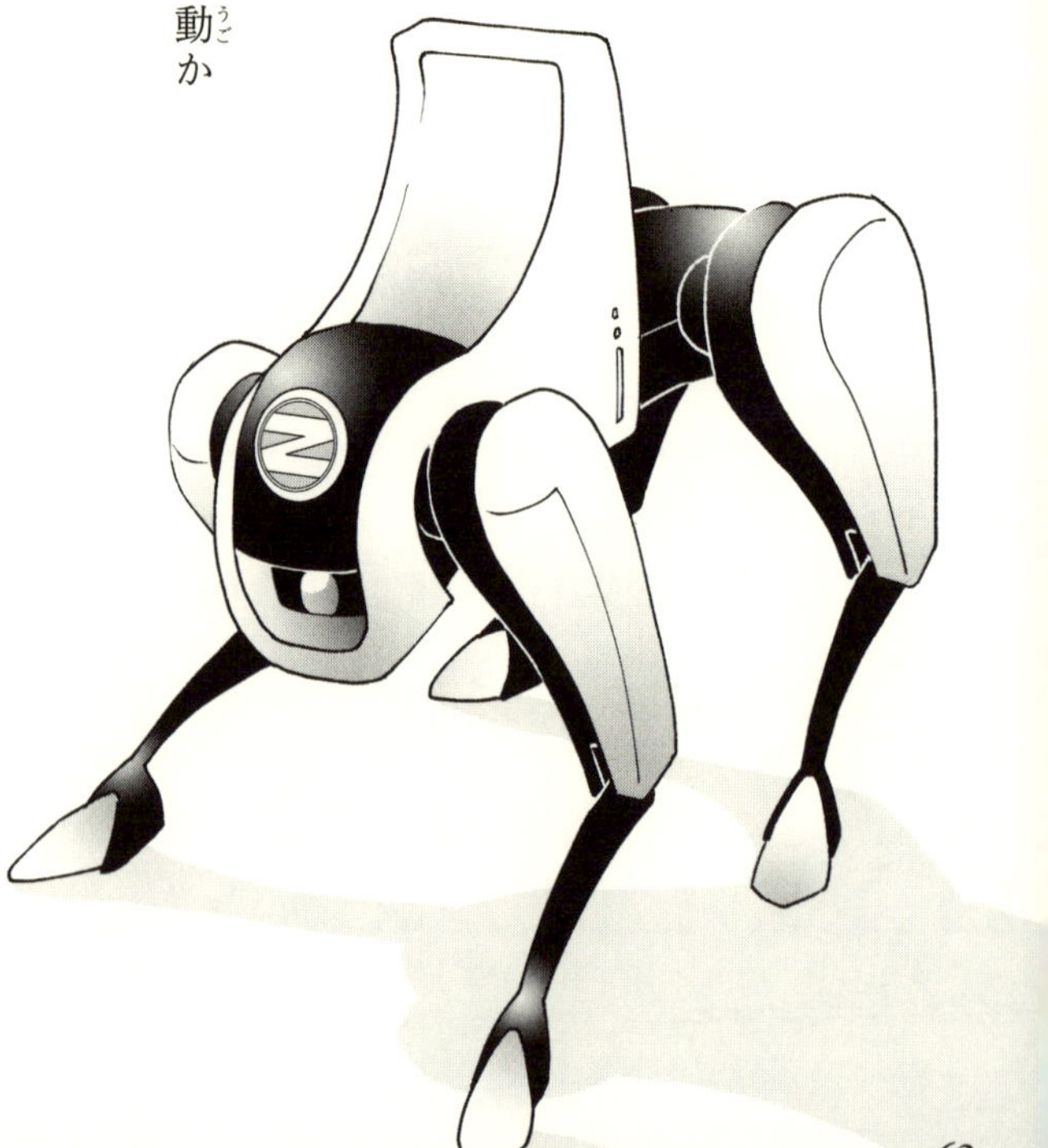

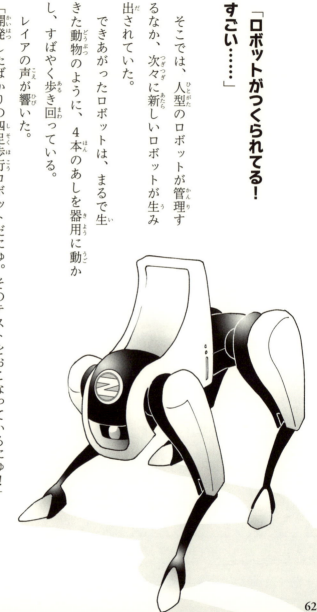

「人間《にんげん》はなにげなくやっているけれど、実《じつ》は『歩《ある》く』ことは、とても難《むずか》しい動作《どうさ》なんだ。全《ぜん》体《たい》の重心《じゅうしん》の移動《いどう》を考《かんが》えたうえで、全身《ぜんしん》の動《うご》きを細《こま》かな部分《ぶぶん》まで制御《せいぎょ》する必要《ひつよう》があるからね」

真実《しんじつ》がそう説明《せつめい》すると、レイアはうれしそうに言葉《ことば》を続《つづ》けた。

「そのロボットは、どんなデコボコ道《みち》や斜面《しゃめん》でも進《すす》めるにゅ！　コケても、すぐに起《お》き上《あ》がって目的地《もくてきち》まで絶対到達《ぜったいとうたつ》するにゅよ」

動《うご》く歩道《ほどう》がさらに進《すす》むと、巨大《きょだい》なドローンをテストする光景《こうけい》が目《め》に入《はい》ってきた。

「これは最新型《さいしんがた》の大型《おおがた》ドローンだにゅ!!　ＡＩ《エーアイ》の自動運転《じどううんてん》で、少《すこ》しくらい重《おも》い荷物《にもつ》でも、積《つ》めば離陸《りりく》して、配達《はいたつ》して届《とど》け終《お》えたら、倉庫《そうこ》までちゃんと戻《もど》ってくるにゅ!!」

「自動《じどう》で配達《はいたつ》して戻《もど》ってくるなんて……。そこまでできるんだ……」

健太《けんた》は技術力《ぎじゅつりょく》の高《たか》さに驚《おどろ》いたが、ドローンにしつこく追《お》われたことを思《おも》い出《だ》して、複雑《ふくざつ》な気持《きも》ちになった。

「どうだ、すごいにゅ!?　こんなのが普及《ふきゅう》すれば、あらゆる仕事《しごと》は、ぜんぶロボットにおまかせにゅ！　人《ひと》はもう、仕事《しごと》から解放《かいほう》されるんだにゅ！」

「え……、人《ひと》はもう働《はたら》かなくていいってこと？」

「健太《けんた》パイセン、そーにゅーこと！　それに、健太《けんた》パイセンも、もう学校《がっこう》に行《い》かなくていいにゅよ！」

「え、学校《がっこう》も!?　もう勉強《べんきょう》しなくていいの!?」

「そうだにゅ！　健太《けんた》パイセンは、なーんも難《むずか》しいこと考《かんが》えないで、面倒《めんどう》なことはぜんぶA《エー》I《アイ》にまかせて、毎日《まいにち》ゲームして、好《す》きな動画《どうが》見《み》て、SNS《エスエヌエス》で友達《ともだち》とやりとりして、楽《たの》しく過《す》ごせばいいんだにゅ～」

「ゲームして、動画《どうが》見《み》て、遊《あそ》び放題《ほうだい》!?」

健太《けんた》は、思《おも》わず興奮《こうふん》して声《こえ》をあげた。

（すごい、それじゃあ、もう毎日《まいにち》が夏休《なつやす》みみたいだ……）

真実《しんじつ》は、口元《くちもと》に手《て》を当《あ》て、じっと宙《ちゅう》を見《み》つめた。

「確《たし》かに、AI《エーアイ》の登場《とうじょう》によって人類《じんるい》の90パーセントの人《ひと》が職《しょく》を失《うしな》うという説《せつ》もあるくらいだからね」

「90パーセントの人《ひと》が働《はたら》かず、学校《がっこう》にも行《い》かないでいいって……すごいね」

「うん。でも健太《けんた》くん、ぼくにはとても想像《そうぞう》できないんだ。人類《じんるい》のほとんどが、学校《がっこう》にも行《い》かず、働《はたら》くこともしないで生《い》きていくなんて」

「そうか……。そう言《い》われてみれば、みんなが好《す》きなことだけしている世《よ》の中《なか》って、ぼくも想像《そうぞう》つかないかも……」

「人《ひと》というのは、何《なに》かを学《まな》ばずにはいられない生《い》き物《もの》なんじゃないかな。健太《けんた》くんもそう思《おも》わないかい？　今日《きょう》の自分《じぶん》を、明日《あした》はさらに超《こ》えていきたい。自分《じぶん》の知《し》らないこと、知《し》らない世界《せかい》を、もっと知《し》りたい。そういう気持《きも》ちを、人《ひと》はみな生《う》まれながらに持《も》っていると思《おも》うんだ」

（真実《しんじつ》くんらしい考《かんが》え方《かた》だな。まっすぐで、とてもまじめで……）

健太《けんた》は真実《しんじつ》をまじまじと見《み》つめた。どんな状況《じょうきょう》にも左右《さゆう》されず、自分《じぶん》の信念《しんねん》に従《したが》って物事《ものごと》を考《かんが》える真実《しんじつ》を、改《あらた》めてすごいと感《かん》じたのだ。

「だから、ぼくはそうした世界《せかい》でバラ色《いろ》の日々《ひび》が待《ま》っているとは思《おも》えないんだ。人《ひと》が、働《はたら》くことや学《まな》ぶことをやめ、何《なに》かを考《かんが》えることをやめて、すべてをＡＩ《エーアイ》や機械《きかい》にまかせて生《い》きるなんて……。そんなの、ぼくはごめんだね」

レイアが腹立《はらだ》たしそうに口《くち》をはさんだ。

「だから真実《しんじつ》パイセンは、難《むずか》しく考《かんが》えすぎだにゅ！　くだらない、マイナスな妄想《もうそう》はいらないにゅ。ＡＩ《エーアイ》にすべてまかせておけばいいんだにゅ！　学校《がっこう》や警察《けいさつ》、消防《しょうぼう》や病院《びょういん》も、もう人《ひと》の代《か》わりに、ＡＩ《エーアイ》や機械《きかい》がぜんぶやってくれるにゅ！」

じっと考《かんが》えていた健太《けんた》も口《くち》も開《ひら》いた。

「ぼくも……ちょっと不気味《ぶきみ》だな。身《み》の回《まわ》りが、ＡＩ《エーアイ》や機械《きかい》ばかりになるとしたら」

すると、ナナミが口《くち》を開《ひら》いた。

「健太《けんた》サン、ワタシも、不気味《ぶきみ》ですカ？」

「あ、いや……。ナナミちゃんは、そんなことないよっ」

「そうだにゅ！　タブレットのマイゼウスと友達《ともだち》になっていながら、不気味《ぶきみ》だにゅって？　人間《にんげん》らしく振《ふ》る舞《ま》うことは、ＡＩ《エーアイ》には朝飯前《あさめしまえ》なんだにゅ。もう人間《にんげん》と区別《くべつ》できないぐらい進《しん》化《か》を遂《と》げたにゅ！　ちょうどいい……その証拠《しょうこ》を見《み》せてあげるにゅ‼」

突然《とつぜん》、床《ゆか》から、縦型《たてがた》の大《おお》きな映像《えいぞう》モニターがせり上《あ》がってきた。

健太《けんた》と真実《しんじつ》がそれを見《み》つめると、モニターの電源《でんげん》が入《はい》って、そこに人《ひと》が映《うつ》し出《だ》された。

「**美希《みき》ちゃんっ!!**」

モニターに映《うつ》ったのは、牢屋《ろうや》のような場所《ばしょ》に閉《と》じ込《こ》められた美希《みき》の姿《すがた》だった。

大《おお》きな声《こえ》をあげた健太《けんた》の横《よこ》で、真実《しんじつ》も驚《おどろ》いたようにつぶやいた。

「美希《みき》さんを……いつの間《ま》に？」

美希《みき》は、じっとこちらを見《み》つめて、声《こえ》をあげた。

「健太《けんた》くん、真実《しんじつ》くん……。ほんと、ごめん！　わたしとしたことが……。レイアちゃんが単独取材《たんどくしゅざい》をさせてくれるっていうから来《き》てみたら、こんなことになっちゃって」

「レイアちゃん、なんで美希《みき》ちゃんをそんなとこに閉《と》じ込《こ》めたんだ！」

健太《けんた》は大《おお》きな声《こえ》で叫《さけ》んだ。

「ふふふっ。そういえば、もうひとり、いたにゅよ！」

床《ゆか》から、もうひとつのモニターがせり上《あ》がって現《あらわ》れる。

「もうひとり？」

健太《けんた》は、混乱《こんらん》しながらモニターを見《み》つめた。

モニターの電源《でんげん》が入《はい》ると、そこにも閉《と》じ込《こ》められた美希《みき》の姿《すがた》があった。

「えっ、美希《みき》ちゃんが？　ふたり……いる……」

暴走するＡＩ（後編）6 - ふたりの美希、現る!?

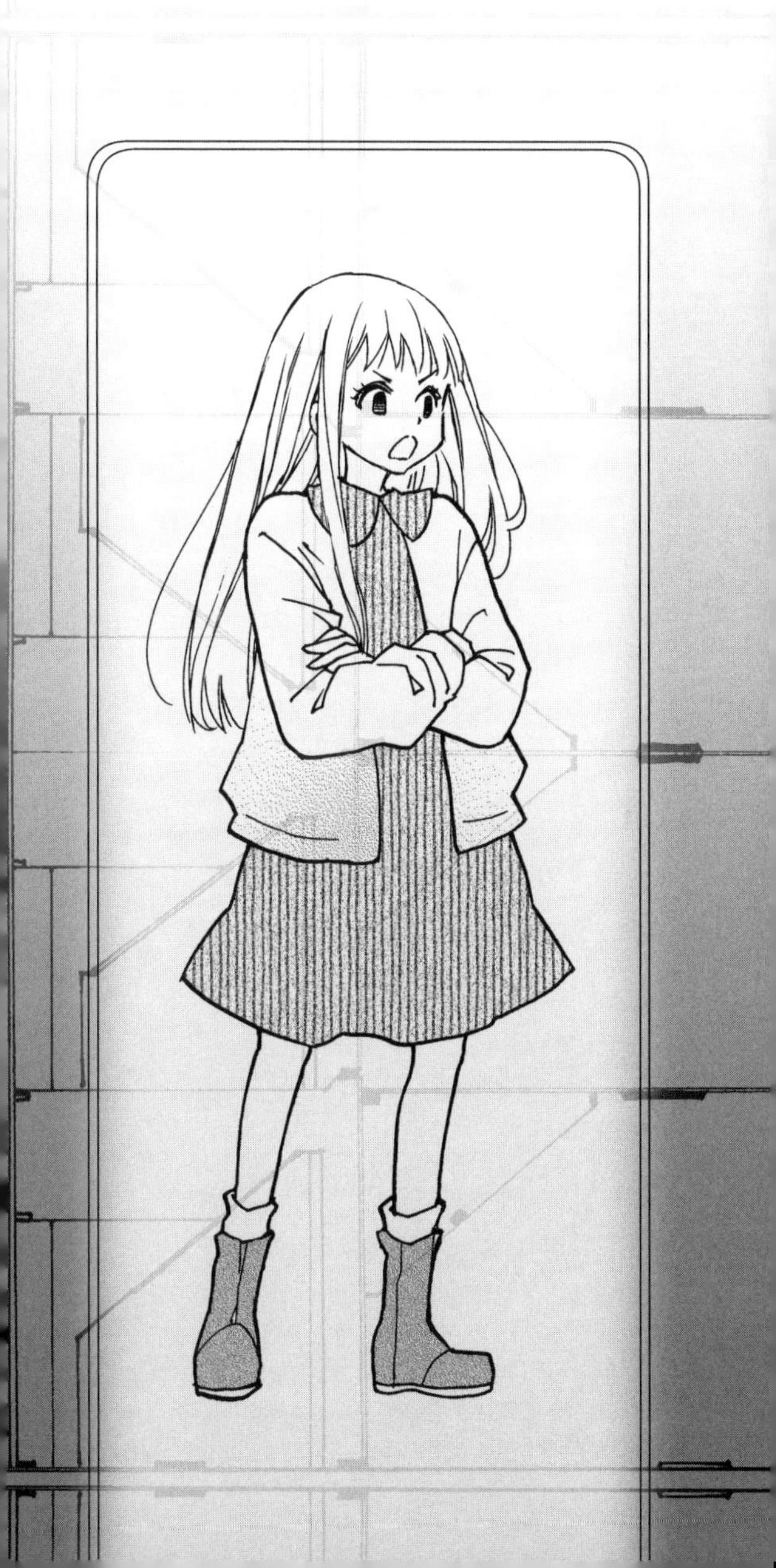

真実《しんじつ》も、不思議《ふしぎ》な光景《こうけい》を目《ま》の当《あ》たりにして驚《おどろ》いているようだ。

「健太《けんた》くん、真実《しんじつ》くん、ほんと迷惑《めいわく》かけて、ごめん!! 取材《しゅざい》させてくれるって、やってきたら、こんなことに……」

モニターの中《なか》の美希《みき》がしゃべる。健太《けんた》はまだ混乱《こんらん》している。

「えっ、えっ!? 美希《みき》ちゃんがふたり!? どういうこと?」

ふたつ並《なら》んだモニターには、ふたりの美希《みき》が映《うつ》っている。

「ちょっと、健太《けんた》くん、幼《おさな》なじみのわたしがわからないの!?」

「ちょっと、いい加減《かげん》にして、わたしが本物《ほんもの》の美希《みき》だから!」

どちらも聞《き》き慣《な》れた美希《みき》の声《こえ》だ。健太《けんた》は思《おも》わず頭《あたま》をかかえた。

「……いったいどっちが本物《ほんもの》の美希《みき》ちゃんなんだ。どっちも美希《みき》ちゃんらしい口調《くちょう》だし、全《ぜん》然《ぜん》わかんないよ」

レイアは笑《わら》った。

「ふふふ、美希《みき》パイセンの思考《しこう》パターンを学習《がくしゅう》したAI《エーアイ》をつくったんだにゅ。最新《さいしん》のCG《シージー》で、映像《えいぞう》、声《こえ》、話《はな》し方《かた》も完璧《かんぺき》に再現《さいげん》したにゅよ。本物《ほんもの》と見分《みわ》けがつくかにゅ?」

「え、どっちかが、ＡＩ《エーアイ》の美希《みき》ちゃんってこと!?」

「ああ、健太《けんた》くん。美希《みき》さんの顔《かお》や声《こえ》、個人情報《こじんじょうほう》を徹底的《てっていてき》に学習《がくしゅう》しつくしたＡＩ《エーアイ》で、リアルタイムでフェイクの美希《みき》さんの動画《どうが》を作成《さくせい》しているんだろうね」

「……そんなことができるなら、真実《しんじつ》くんのフェイク動画《どうが》も簡単《かんたん》にできるわけだ」

健太《けんた》は以前《いぜん》、フェイク動画《どうが》にだまされたことを思《おも》い出《だ》す。

「ふふふ、健太《けんた》パイセンは、トモダチとかって、アナログなものがとても好《す》きみたいだにゅ。トモダチならトーゼン、本物《ほんもの》の美希《みき》パイセンがわかるにゅよね？　さあ、ゲームの開《かい》始《し》だにゅ。ふたりに同《おな》じ質問《しつもん》を三《みっ》つだけ出《だ》すんだにゅ。その答《こた》えで、ＡＩ《エーアイ》の美希《みき》パイセンを見抜《みぬ》くんだにゅ！　も〜し外《はず》したら、美希《みき》パイセンが、たいへんなことになるにゅよ〜！」

「……いったい美希《みき》ちゃんに何《なに》するつもりだ！」

「催涙《さいるい》ガスを、あの牢屋《ろうや》に噴《ふ》き付《つ》けるにゅ！」

「そんな……。絶対《ぜったい》に美希《みき》ちゃんを傷《きず》つけることはさせない！」

健太《けんた》はなんとしても美希《みき》を救《すく》い出《だ》したいと考《かんが》えた。

（本物《ほんもの》の美希《みき》ちゃんを見分《みわ》けるには、どうしたらいいんだ……）

何《なに》かいい質問《しつもん》はないかと必死《ひっし》で考《かんが》える健太《けんた》だったが、何《なに》も思《おも》いつかず、隣《となり》の真実《しんじつ》を見《み》た。

真実《しんじつ》も、じっと一点《いってん》を見《み》つめて考《かんが》えていたが、おもむろに口《くち》を開《ひら》いた。

「よし、健太《けんた》くん、ひとつ目《め》の質問《しつもん》では、まず、AI《エーアイ》がどれだけ美希《みき》さんのデータを持《も》っているかを確《たし》かめてみよう。健太《けんた》くん、そんなに知《し》られていない美希《みき》さんの情報《じょうほう》はあるかな？」

「えっと……。じゃあ、美希《みき》ちゃんが好《す》きな食《た》べ物《もの》とか聞《き》いてみたらどう？」

「わかった、そうしてみよう！」

「質問《しつもん》が決《き》まったようだにゅ。片方《かたほう》の美希《みき》パイセンに質問《しつもん》するときは、もう片方《かたほう》との通信《つうしん》を切《き》って、順番《じゅんばん》に答《こた》えてもらうにゅ。これで、それぞれの美希《みき》パイセンは、お互《たが》いにどう答《こた》えたかがわからないにゅ」

真実《しんじつ》は、通信《つうしん》がつながった片方《かたほう》の美希《みき》に、まずひとつ目《め》の質問《しつもん》をした。

「美希《みき》さん、好《す》きな食《た》べ物《もの》を教《おし》えてくれるかな？」

「みそタンメンよ」

健太《けんた》は隣《となり》の真実《しんじつ》にひそひそ声《ごえ》で話《はな》しかけた。

「正解《せいかい》だ。こっちが本物《ほんもの》に違《ちが》いないよ。タンメンはふつうは塩味《しおあじ》だけど、美希《みき》ちゃんはマニアックで、絶対《ぜったい》みそじゃなきゃダメっていうんだ」

真実《しんじつ》は、健太《けんた》の言葉《ことば》にうなずきながら耳《みみ》を傾《かたむ》けた。

「よし、じゃあ、もうひとりの美希《みき》さんにも聞《き》いてみよう」

次《つぎ》に、もうひとりの美希《みき》と通信《つうしん》がつながり、同《おな》じ質問《しつもん》をしてみた。

「みそタンメンに決《き》まってるじゃない！」

もうひとりの美希《みき》の答《こた》えに、健太《けんた》は思《おも》わず、つぶやいた。

「えっ、どっちも正解《せいかい》するなんて……」

モニターを見《み》つめていた真実《しんじつ》が、口《くち》を開《ひら》いた。

「なるほど、そういうマニアックな美希《みき》さんの好《この》みまでも、ちゃんとＡＩ《エーアイ》は把握《はあく》しているようだね」

レイアは両方《りょうほう》の美希《みき》の部屋《へや》と通信《つうしん》をつないで、うれしそうにふたりの美希《みき》に話《はな》しかけた。

「ふたりとも、同《おな》じ答《こた》えだったにゅよ」

それを聞《き》いたとたん、ふたりの美希《みき》の顔色《かおいろ》が変《か》わった。

「うそでしょ？　わたしの答《こた》えを聞《き》いて、あとからマネしただけでしょ！」

「いーえ、本物《ほんもの》なんだからわかってあたりまえでしょ！　あんたこそ、ニセモンのくせに！」

（どちらの美希《みき》ちゃんも気《き》が強《つよ》いなぁ……。どっちも本物《ほんもの》だとしか思《おも》えないよ。この美希《みき》ちゃんたちにふたりがかりで怒《おこ》られたら、さぞかし怖《こわ》いだろうなぁ）

こんなときだが、健太《けんた》はふたりの美希《みき》に怒《おこ》られるのを思《おも》わず想像《そうぞう》してしまい、ゾッとして鳥肌《とりはだ》がたった。

健太《けんた》とは対照的《たいしょうてき》に、真実《しんじつ》は真剣《しんけん》に考《かんが》え続《つづ》けていた。

「次《つぎ》のふたつ目《め》の質問《しつもん》は……、そうだな、AI《エーアイ》が現在《げんざい》のことだけでなく、過去《かこ》のことも知《し》っているのか試《ため》してみよう。健太《けんた》くん、美希《みき》さんはきみの保育園《ほいくえん》のころからの幼《おさな》なじみだよね？」

「あ、うん！」

「では、保育園《ほいくえん》のころの健太《けんた》くんに関《かん》する質問《しつもん》をしてみたらどうかな？　たとえば……当時《とうじ》の健太《けんた》くんのあだ名《な》を聞《き》くのはどうだろう」

「あ……うん。そうだね、聞《き》いてみよう」

そう答《こた》えた健太《けんた》の顔《かお》が、一瞬《いっしゅん》くもった。

真実《しんじつ》は健太《けんた》の表情《ひょうじょう》を見《み》て少《すこ》し気《き》になったが、まずは、質問《しつもん》をふたりの美希《みき》にぶつけてみることにした。

まず、片方《かたほう》の美希《みき》だけに通信《つうしん》をつないで聞《き》いた。

「健太《けんた》くんの、保育園《ほいくえん》のときのあだ名《な》を教《おし》えてほしい」

「もちろん、チビけんよ！　あったりまえじゃない」

ひとり目《め》の美希《みき》は、誇《ほこ》らしげに、あっさりと笑顔《えがお》で即答《そくとう》した。

そして、次《つぎ》はもう片方《かたほう》の美希《みき》だけに通信《つうしん》をつないで、同《おな》じ質問《しつもん》をした。

「あ……確《たし》か、ちょっと待《ま》ってよ……。そうだ！　チビけんね」

もうひとりの美希《みき》は、悩《なや》んだあとに、上《うえ》を向《む》いてまばたきして、ようやく思《おも》い出《だ》したようすで答《こた》えた。

結果《けっか》を見《み》ていたレイアは満足《まんぞく》そうに、話《はな》しはじめた。

「あら～、ふたつ目《め》の答《こた》えも、同《おな》じだったにゅ～!!　そんな質問《しつもん》で、本物《ほんもの》の美希《みき》パイセンを、見分《みわ》けられるかにゅ？」

真実《しんじつ》はふたりの答《こた》えを聞《き》いて、じっと考《かんが》えていたが、ようやく口《くち》を開《ひら》いた。

「ひとり目《め》の美希《みき》さんは即座《そくざ》に答《こた》えた。しかし、ふたり目《め》の美希《みき》さんは、思《おも》い出《だ》すまでに時《じ》間《かん》がかかった。考《かんが》える間合《まあ》いをとり、目《め》を閉《と》じたり、まばたきをしたりして……」

「うん。でも、それで何《なに》かわかるの？」

「人《ひと》は脳《のう》の記憶《きおく》を整理《せいり》するとき、まばたきをするといわれている。だから、後者《こうしゃ》の美希《みき》さんが、本物《ほんもの》の可能性《かのうせい》が高《たか》いかもしれない」

「なるほど……。うーん、でも、なんかなぁ」

健太《けんた》は、真実《しんじつ》の推理《すいり》を聞《き》きながらもどこか腑《ふ》に落《お》ちず、居心地《いごこち》の悪《わる》さを感《かん》じていた。

「健太《けんた》くん、どうしたんだい？」

「うん……。真実《しんじつ》くん、実《じつ》はね、あのあだ名《な》は、思《おも》い出《だ》したくない、イヤな思《おも》い出《で》なんだ」

「……それで、さっき健太《けんた》くんの顔《かお》がくもっていたんだね？」

「そうなんだ。保育園《ほいくえん》のとき、ぼくの体《からだ》が小《ちい》さかったことを、まわりの友達《ともだち》がからかって、あのあだ名《な》ができたんだ。みんなにとっては冗談《じょうだん》でも、ぼくはとてもイヤだったんだ……」

「あのあだ名《な》、健太《けんた》くんにとって、心《こころ》の傷《きず》だったんだね……」

「うん……。でも、みんながふざけてあだ名《な》を呼《よ》んでいたときに、美希《みき》ちゃんが助《たす》けてくれたんだ。人《ひと》の見《み》た目《め》をおもしろがってあだ名《な》をつけるなんてひどいって、自分《じぶん》のことのように怒《おこ》ってくれて。保育園《ほいくえん》の友達《ともだち》みんなに立《た》ち向《む》かって、そのあだ名《な》をやめさせてくれたんだよ」

「そんなイヤなことを思《おも》い出《だ》させてしまって……。健太《けんた》くん、ごめん。デリカシーがなかったよ」

「ううん、いいんだ真実《しんじつ》くん。だから、美希《みき》ちゃんが、『チビけん』というあだ名《な》をためらわずに言《い》ったり、笑《わら》いながら答《こた》えたりするなんて、なんかヘンだなあと思《おも》って……」

「なるほど。ひょっとして……」

真実《しんじつ》は口元《くちもと》に手《て》を当《あ》ててじっと考《かんが》えはじめ、ポツリとひとりごとをつぶやいた。

「これは、コペルニクス的転回《てきてんかい》だ……」

「コ、コペ？　コッペパン、ニク、ステキ……？」

健太《けんた》は、言葉《ことば》を聞《き》き直《なお》そうと真実《しんじつ》を見《み》た。

「健太《けんた》くん！　次《つぎ》の質問《しつもん》、ぼくにまかせてくれないか？」

「あ、うん、もちろん」

そして、真実《しんじつ》はレイアに呼《よ》びかけた。

コペルニクス的転回《てきてんかい》
哲学者《てつがくしゃ》・カントが唱《とな》えた言葉《ことば》で、自分《じぶん》が見方《みかた》を変《か》えることで、物事《ものごと》のとらえ方《かた》が大《おお》きく変《か》わることをいう。16世《せい》紀《き》の天文学者《てんもんがくしゃ》・コペルニクスが、「太陽《たいよう》やほかの惑星《わくせい》が、地球《ちきゅう》のまわりを回《まわ》っている（天動《てんどう》説《せつ》）」と信《しん》じられていた時代《じだい》に、「地球《ちきゅう》が、ほかの惑星《わくせい》とともに太陽《たいよう》のまわりを回《まわ》っている（地動説《ちどうせつ》）」と唱《とな》えたことになぞらえている。

「ねぇレイアさん！　三《みっ》つ目《め》、最後《さいご》の質問《しつもん》は、少《すこ》し趣向《しゅこう》を変《か》えたいんだ。紙《かみ》を使《つか》ってみてもいいかな？」

「べつにいいにゅよ！　どうせむだだと思《おも》うけどにゅ」

真実《しんじつ》が頼《たの》むと、レイアはスケッチブックとペンをロボゼウスに運《はこ》ばせて、届《とど》けてくれた。

真実《しんじつ》はそれを受《う》け取《と》って、サササッと何《なに》かを描《か》き込《こ》んだ。

そして真実《しんじつ》はその紙《かみ》を、モニターに内蔵《ないぞう》されていたカメラに向《む》けて掲《かか》げた。

そこには、おじいさんが望遠鏡《ぼうえんきょう》で星《ほし》を見《み》ている絵《え》が描《えが》かれていた。

「ひとり目《め》の美希《みき》さん、この絵《え》を見《み》てください。では左目《ひだりめ》をつぶって、人物《じんぶつ》の黒《くろ》い帽子《ぼうし》だけをじっと見《み》つめたまま、絵《え》にだんだんとゆっくり近《ちか》づいてください」

ひとり目《め》の美希《みき》は、真実《しんじつ》の言《い》うとおりに片目《かため》をふさぎ、絵《え》を見《み》ながら近《ちか》づいてきた。

「隣《となり》にある星《ほし》がちゃんとずっと見《み》えていますか？」

「うん、もちろん、見《み》えてるわ」

そして、ふたり目《め》の美希《みき》にも、同《おな》じことを告《つ》げ、試《ため》してもらった。

「あたりまえでしょ！　片目《かため》をつぶったって見《み》えるに決《き》まってるじゃない」

どちらの美希《みき》も、星《ほし》がちゃんと見《み》えると言《い》い、結果《けっか》は同《おな》じだった。

健太《けんた》は、真実《しんじつ》の意図《いと》がわからず、一連《いちれん》のやりとりを見《み》ていた。

（真実《しんじつ》くんは、いったい何《なに》がしたいんだろう……あんな視力検査《しりょくけんさ》みたいなことで、何《なに》がわかるのかな？　ぼくも、ちょっとやってみるかな）

真実《しんじつ》がふたりの美希《みき》の答《こた》えを聞《き》いて、じっと考《かんが》えているそばで、健太《けんた》も左目《ひだりめ》をつぶって、絵《え》をだんだんと自分《じぶん》に近《ちか》づけて、星《ほし》の見《み》え方《かた》が変《か》わるか試《ため》してみた。

「……あれ？　なんでだろ？」

健太《けんた》は、異変《いへん》に気《き》づいた。

真実《しんじつ》は、試《ため》してみて驚《おどろ》いている健太《けんた》を見《み》て、ニヤリと笑《わら》った。

「ありがとう、ぜんぶ健太《けんた》くんのおかげだよ。健太《けんた》くんが指摘《してき》してくれた、ふたつ目《め》の質問《しつもん》の答《こた》えへの違和感《いわかん》のおかげで気《き》づくことができたんだ」

「え、ＡＩ《エーアイ》の美希《みき》ちゃんを見抜《みぬ》けたの？」

「うん。科学《かがく》で解《と》けないナゾはない！　すべてナゾが解《と》けたよ」

右《みぎ》ページの絵《え》から目《め》を30㎝ほど離《はな》して、左目《ひだりめ》をつぶり、人物《じんぶつ》の黒《くろ》い帽子《ぼうし》をずっと見《み》つめたまま、絵《え》を近《ちか》づけてみよう。★マークはどうなるかな？

きみも実際《じっさい》にやってみて美希《みき》さんたちの答《こた》えと比《くら》べてみよう。

解《かい》決《けつ》編《へん》

「レイアさん、わかったよ」

真実《しんじつ》は、鋭《するど》いまなざしを向《む》け、モニター画面《がめん》を指《ゆび》さした。


「どちらの美希《みき》さんもAI《エーアイ》がつくりだした、ニセモノさ！」


「え、ふたりとも、ニセモノ⁉」

健太《けんた》は驚《おどろ》いて、思《おも》わず声《こえ》をあげた。

レイアはしばらく無言《むごん》だったが、ようやく口《くち》を開《ひら》いた。

「……なぜ、そう思《おも》うにゅ？　真実《しんじつ》パイセン、ちゃんと説明《せつめい》するんだにゅ！」

「そのふたりの美希《みき》さんには、人間《にんげん》の目《め》にあるはずの盲点《もうてん》がなかったからさ」

「もうてん？」

健太《けんた》は思《おも》わず聞《き》き返《かえ》した。

「ああ健太《けんた》くん。人間《にんげん》の目《め》は、眼球《がんきゅう》の奥《おく》にある網膜《もうまく》で光《ひかり》を受《う》け取《と》り、その情報《じょうほう》が視神経《ししんけい》を通《つう》じて脳《のう》にまで届《とど》くことで、ものを見《み》ることができる。しかし網膜《もうまく》には、視神経《ししんけい》が集《あつ》まって束《たば》になっている部分《ぶぶん》があって、そこには光《ひかり》を感《かん》じる細胞《さいぼう》がない。つまり、その部分《ぶぶん》に映《うつ》るものの光《ひかり》の情報《じょうほう》を受《う》け取《と》ることができないので、脳《のう》はそこには何《なに》もないと判断《はんだん》してしまうんだ」

「え、難《むずか》しいけど……。ぼくが、さっきやってみたら、黒《くろ》い帽子《ぼうし》を見《み》たまま絵《え》を近《ちか》づけていくと、ある地点《ちてん》で星《ほし》が消《き》えて、見《み》えなくなっちゃったんだ。人《ひと》の目《め》では、ある地点《ちてん》で見《み》えなくなる現象《げんしょう》が起《お》きて、そこが『盲点《もうてん》』ってこと？」

「うん、それが人間《にんげん》の正常《せいじょう》な目《め》の働《はたら》きさ。でもふたりの美希《みき》さんはどちらも星《ほし》がずっと見《み》えると言《い》っていた。人間《にんげん》に必《かなら》ずあるはずの盲点《もうてん》がなかったのさ。優秀《ゆうしゅう》なレイアさんのことだから、盲点《もうてん》もＡＩ《エーアイ》に前《まえ》もって学習《がくしゅう》させていた可能性《かのうせい》はあったけど、賭《か》けに出《で》てみることにしたんだ。レイアさんが、人間《にんげん》よりも完璧《かんぺき》な存在《そんざい》をめざすＡＩ《エーアイ》に、わざ

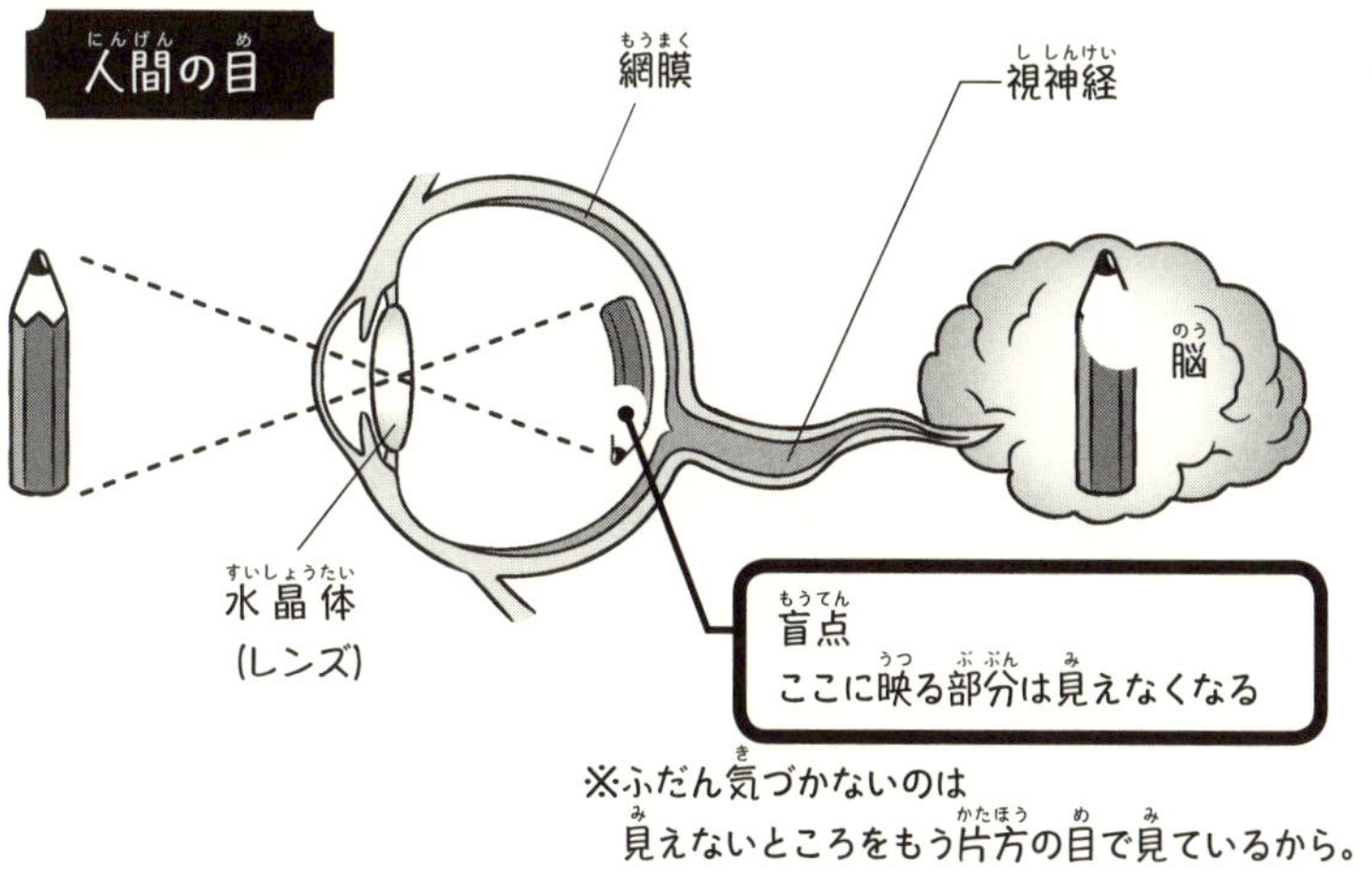
人間《にんげん》の目《め》
網膜《もうまく》
視神経《ししんけい》
脳《のう》
水晶体《すいしょうたい》
（レンズ）
盲点《もうてん》
ここに映《うつ》る部分《ぶぶん》は見《み》えなくなる
※ふだん気《き》づかないのは
見《み》えないところをもう片方《かたほう》の目《め》で見《み》ているから。

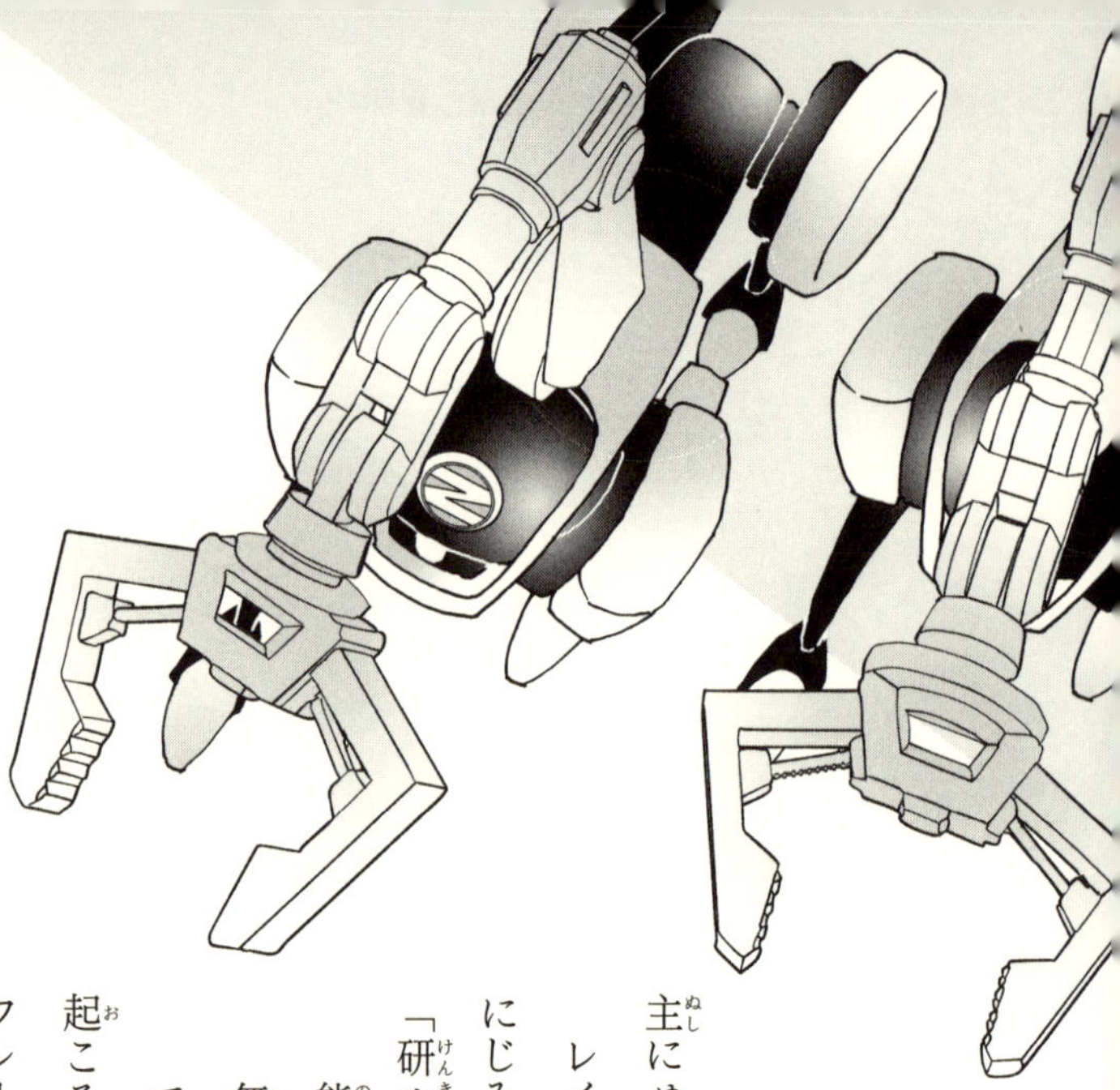

わざ人間《にんげん》の欠点《けってん》ともいえる盲点《もうてん》をプログラミングしないだろうと思《おも》ってね」

「さすが、アタシが見込《みこ》んだだけの頭脳《ずのう》の持《も》ち主《ぬし》にゅね……。おみごとだにゅ、真実《しんじつ》パイセン」

レイアは重《おも》い口《くち》を開《ひら》いたが、その口調《くちょう》には悔《くや》しさがにじみ出《で》ていた。

「研究者《けんきゅうしゃ》が、AI《エーアイ》をプログラムするとき、起《お》こる可《か》能性《のうせい》のある事態《じたい》のすべてに対応《たいおう》しようとすると、無限《むげん》に情報《じょうほう》をインプットしなければいけなくなってしまう……。現実《げんじつ》では、予測《よそく》もできないことが起《お》こるからね。だから研究者《けんきゅうしゃ》は、ある程度《ていど》の枠《わく》——フレームを決《き》めて、インプットする情報《じょうほう》の取捨選択《しゅしゃせんたく》をせざるをえなくなってしまう。それこそが、AI《エーアイ》の限界《げんかい》、弱点《じゃくてん》といわれている、『フレーム問題《もんだい》』さ」

「さすが真実《しんじつ》くん、そうだったのか。ＡＩ《エーアイ》にも弱点《じゃくてん》があるんだね！」

「健太《けんた》くんがふたつ目《め》の質問《しつもん》の答《こた》えへの違和感《いわかん》を話《はな》してくれたおかげで、ぼくが勝手《かって》に自分《じぶん》にはめてしまっていた『ＡＩ《エーアイ》の美希《みき》さんはどちらかひとりだけ』というフレームを外《はず》すことができたんだ」

「あ～うるさいにゅ!!　調子《ちょうし》に乗《の》って、ベラベラと！　ＡＩ《エーアイ》を見《み》くびるのは、絶対《ぜったい》に許《ゆる》せないにゅ!!　やっぱ、パイセンたちはアタシの計画《けいかく》にじゃまな存在《そんざい》だったにゅ！　このビルに呼《よ》び出《だ》して正解《せいかい》だったにゅ！」

レイアが感情的《かんじょうてき》になって叫《さけ》んだ。

すると、フロアの奥《おく》で、ガーッと鉄《てつ》の扉《とびら》が開《ひら》く音《おと》が鳴《な》り響《ひび》いた。

ガシャ！　ガシャッ！

4本《ほん》あしのロボットが数体《すうたい》、奥《おく》から現《あらわ》れた。

「さっき、テストしていたマシンだ！」

4本《ほん》あしのロボットは、クワガタのような、荷物《にもつ》をはさめる大《おお》きなアームを備《そな》えていた。

健太《けんた》は、威圧的《いあってき》なほど大《おお》きいロボットを見《み》た。

2体《たい》のロボットが、それぞれ健太《けんた》と真実《しんじつ》の近《ちか》くに来《き》て、アームを開《ひら》いた。

「えっ、ちょっと、いったい何《なに》をするんだよ、レイアちゃん！」

「お遊《あそ》びはここまでだにゅ!!　パイセンたちはもう袋《ふくろ》の中《なか》のネズミ。アタシの言《い》うことを聞《き》いて、おとなしく次《つぎ》のフロアに進《すす》むしかないんだにゅ!!」

「健太《けんた》くん、今《いま》はひとまず、彼女《かのじょ》の指示《しじ》に従《したが》ったほうがよさそうだ」

健太《けんた》はロボットのアームに体《からだ》をはさまれ、軽々《かるがる》と持《も》ち上《あ》げられた。真実《しんじつ》も隣《となり》で同《おな》じように持《も》ち上《あ》げられている。

「次《つぎ》はＡＩ《エーアイ》のすごさを、恐《おそ》ろしいくらい見《み》せつけてやるにゅ!!
ここまで進《すす》んだことを後悔《こうかい》すればいいにゅ！」

ロボットは、健太《けんた》と真実《しんじつ》をはさんだまま、ガシャガシャと歩《ある》きはじめた。

1メートルほど体《からだ》が浮《う》いた健太《けんた》は、その高《たか》さに戸惑《とまど》いながら、次《つぎ》に何《なに》が待《ま》ち構《かま》えているのかを考《かんが》えると、背筋《せすじ》が凍《こお》る思《おも》いだった。

（暴走《ぼうそう》しはじめたレイアちゃん……。ぼくらを、いったいどうするつもりなんだ）

AI《エーアイ》は知能《ちのう》を持《も》つのか？

イギリスの数学者《すうがくしゃ》、アラン・チューリングは、AI《エーアイ》が知能《ちのう》を持《も》つかを次《つぎ》のようなテストで判定《はんてい》しようと考《かんが》えました。判定員《はんていいん》が、人間《にんげん》とAI《エーアイ》に対《たい》し、姿《すがた》が見《み》えない状態《じょうたい》でそれぞれコンピューターで対話《たいわ》します。どちらがAI《エーアイ》なのかを見抜《みぬ》けなければ、AI《エーアイ》が知能《ちのう》を持《も》っているとみなせるとしました。

AI《エーアイ》は
会話《かいわ》の意味《いみ》が
わかってるように
思《おも》えたよ

チューリングテスト

AI
?
判定員《はんていいん》が、
どちらがAI《エーアイ》かを判定《はんてい》。

このテストへの反論《はんろん》として、アメリカの哲学者《てつがくしゃ》、ジョン・R《アール》・サールが唱《とな》えた「中国語《ちゅうごくご》の部屋《へや》」という考《かんが》え方《かた》があります。たとえば、中国語《ちゅうごくご》がわからない人《ひと》が部屋《へや》にいて、外《そと》から中国語《ちゅうごくご》で質問《しつもん》されたことに、完璧《かんぺき》な中国語《ちゅうごくご》のマニュアルを見《み》て答《こた》えれば、まるで中国《ちゅうごく》語《ご》がわかっているかのように思《おも》えるでしょう。AI《エーアイ》の会話《かいわ》もこれと同《おな》じで、意味《いみ》を理解《りかい》しているわけではなく、これでは知能《ちのう》を持《も》つとはいえない、というものです。

中国語《ちゅうごくご》の部屋《へや》

部屋《へや》の中《なか》にいる人《ひと》が、中国《ちゅうごく》語《ご》のマニュアルを見《み》て、外《そと》の人《ひと》からの中《ちゅう》国語《ごくご》の質問《しつもん》に答《こた》える。

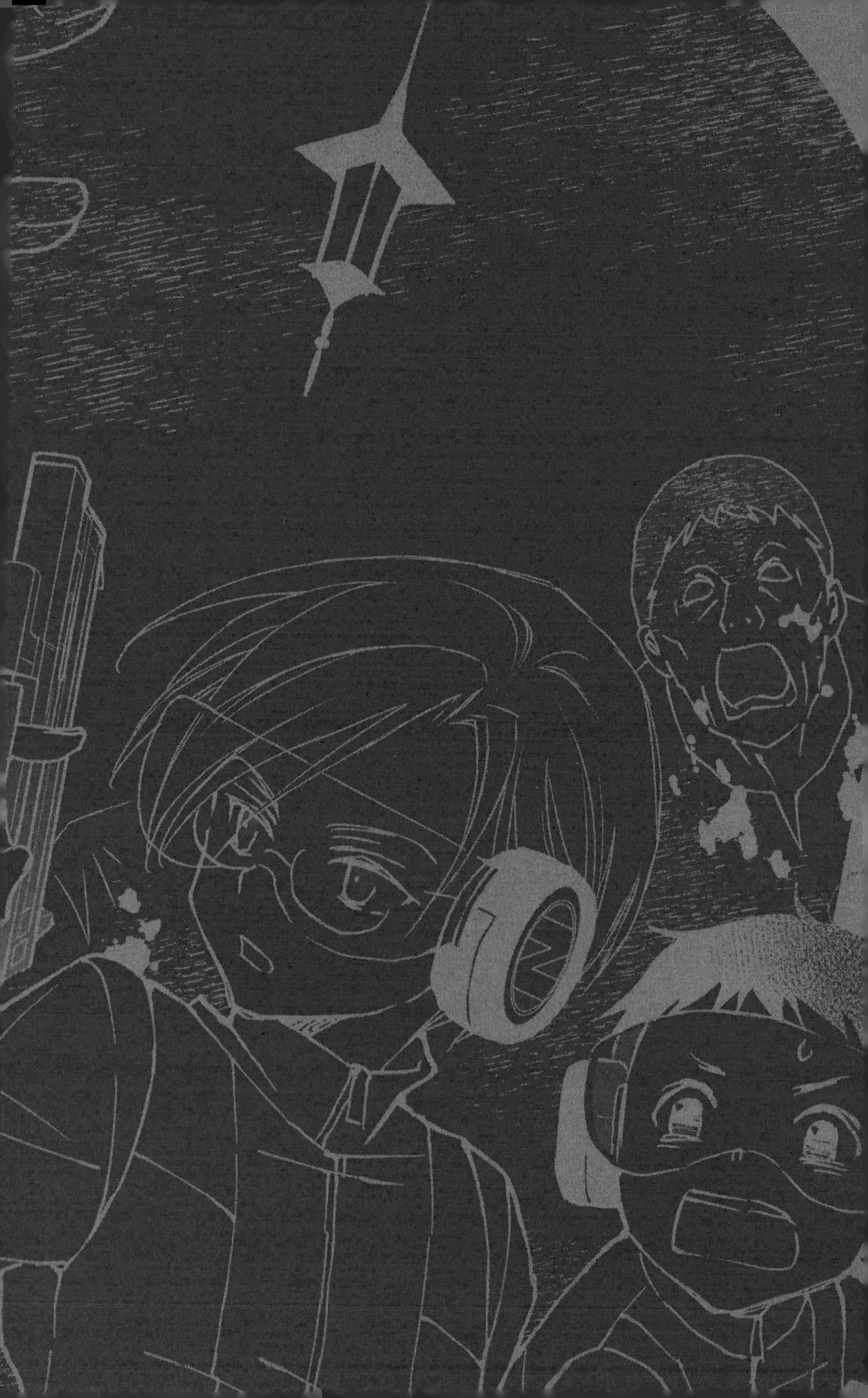

暴走《ぼうそう》するAI《エーアイ》［後編《こうへん》］7

終《お》わりなきゾンビの館《やかた》

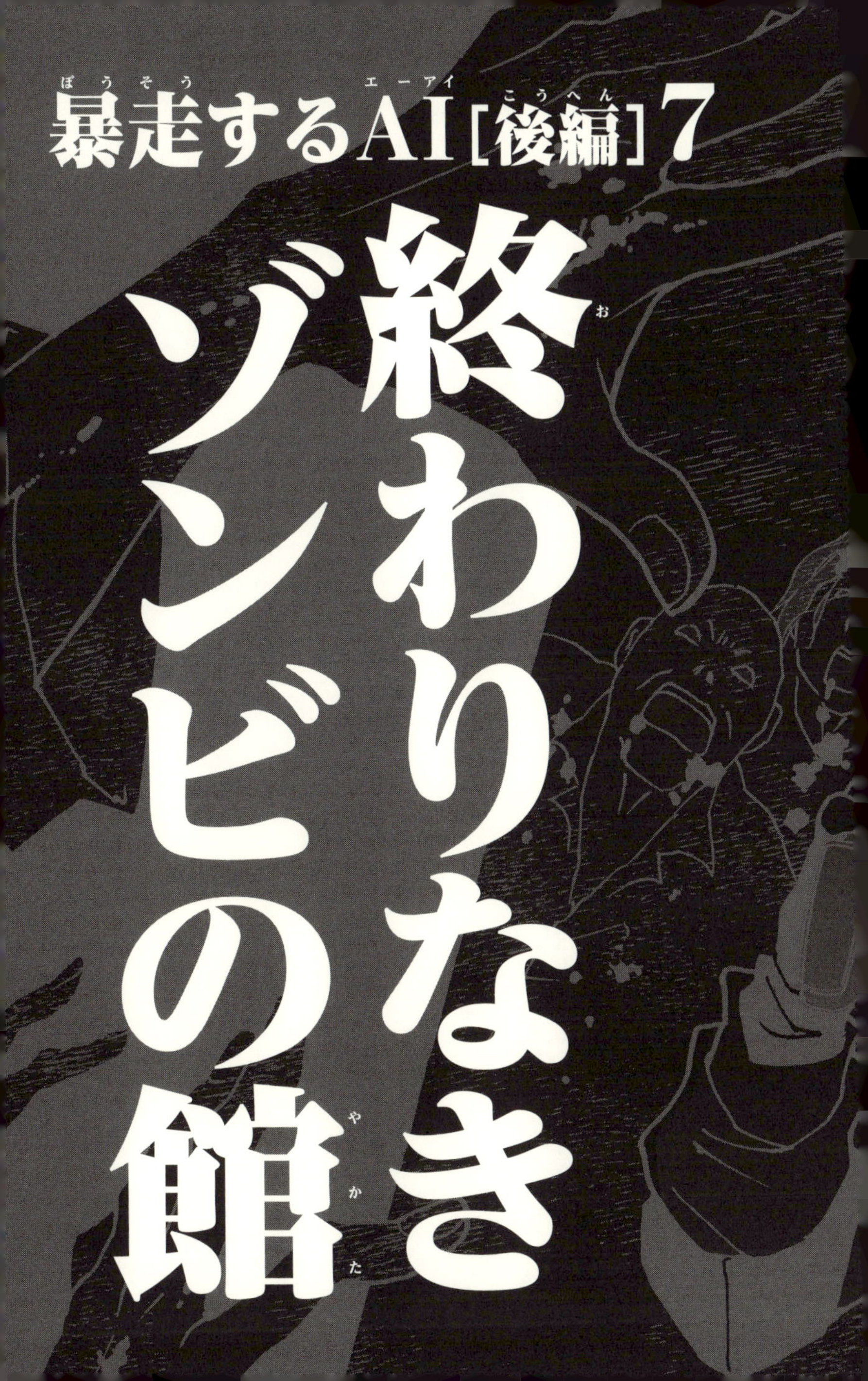

とらわれの身《み》となった真実《しんじつ》と健太《けんた》は、4本《ほん》あしのロボットに連行《れんこう》され、ある部屋《へや》に連《つ》れてこられた。

「えっ、ここはどこ？」

何《なに》もない、だだっ広《ぴろ》い部屋《へや》を見《み》まわして、健太《けんた》はつぶやく。

「ここは、次《つぎ》の関門《かんもん》が用意《ようい》された部屋《へや》だにゅ」

スピーカーからレイアの声《こえ》が聞《き》こえると同時《どうじ》に、重《おも》い鉄《てつ》の扉《とびら》が閉《し》まり、ふたりは閉《と》じ込《こ》められてしまった。

「パイセンたちがこの部屋《へや》から脱出《だっしゅつ》するには、ここの関門《かんもん》をクリアし、ゲットした4桁《けた》のパスワードを、扉《とびら》のキーボードに打《う》ち込《こ》まなければならないにゅ」

扉《とびら》を見《み》ると、そこには、アルファベットと数字《すうじ》を入力《にゅうりょく》できるキーボードが取《と》り付《つ》けられていた。

「今度《こんど》は何《なに》をやらされるんだろう……」

不安《ふあん》げに顔《かお》をくもらせる健太《けんた》に、ナナミが励《はげ》ましの言葉《ことば》をかける。

「健太《けんた》サンたちは、これまでもレイアサンの関門《かんもん》をクリアしてきましタ。今回《こんかい》もきっと、だ

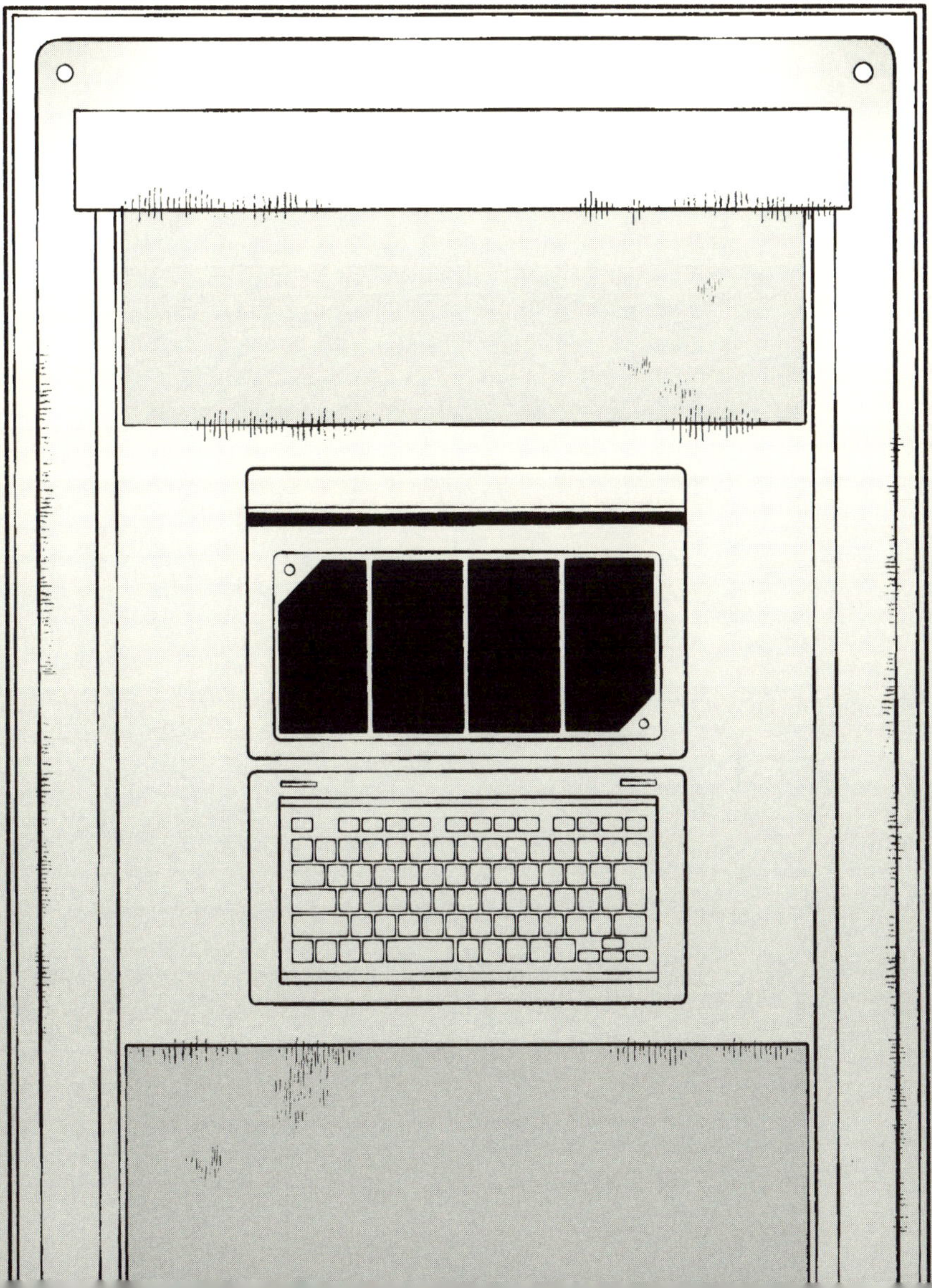

いじょうぶでス」

そんなナナミに、真実《しんじつ》は不思議《ふしぎ》そうにたずねた。

「ゼウス……いや、ナナミさん、どうしてきみはスーパーゼウスに従《したが》わずに、ぼくたちの味方《みかた》をしてくれるんだい？」

「……どうしテ？　ワタシにもわかりませン……」

タブレットのナナミは答《こた》えた。

広《ひろ》い部屋《へや》の床《ゆか》には、ゴーグルとボディースーツが2着《ちゃく》、レーザーガンが2丁《ちょう》、置《お》かれてい

た。

「なんだろう、これは？」

「それは、パイセンたちが身《み》につけるモノだにゅ」

レイアの声《こえ》が、再《ふたた》び聞《き》こえる。真実《しんじつ》と健太《けんた》は、レイアに指示《しじ》されるまま、ボディースーツを着《き》て、ゴーグルをつけ、ベルトのホルダーにレーザーガンを装着《そうちゃく》した。

すると、次《つぎ》の瞬間《しゅんかん》、まわりは古《ふる》びた洋館《ようかん》の居間《いま》になった。

「えっ、いつの間《ま》にこんな場所《ばしょ》に!?　ぼくたち、ワープしたの!?」

「これはバーチャルリアリティー……ＡＩ《エーアイ》がつくりだした仮想空間《かそうくうかん》だにゅ」

振《ふ》り返《かえ》ると、そこには、レイアの姿《すがた》があった。

いや、正確《せいかく》にはレイア本人《ほんにん》ではなく、立体映像《りったいえいぞう》のアバターである。

「じゃあ、これってＶＲ《ブイアール》ゲーム!?　うわあ、ぼく、一度《いちど》やってみたかったんだよね～！」

健太《けんた》は、興味津々《きょうみしんしん》なようすで、あたりを見回《みまわ》す。

暖炉《だんろ》に手《て》をかざすと、暖《あたた》かさが伝《つた》わってきた。

驚《おどろ》く健太《けんた》に、レイアは言《い》った。

「そのボディースーツを身《み》につけると、視覚《しかく》や聴覚《ちょうかく》だけでなく、暑《あつ》さや寒《さむ》さ、衝撃《しょうげき》や痛《いた》み、五感《ごかん》で感《かん》じられるすべてが伝《つた》わってくるんだにゅ。ＡＩ《エーアイ》の技術《ぎじゅつ》で本物《ほんもの》の恐怖《きょうふ》が味《あじ》わえるにゅ」

健太《けんた》は、ハッとしてあたりを見回《みまわ》す。そして、自分《じぶん》たちが今《いま》いる場所《ばしょ》が、「ワンダーリング・デッド」の舞《ぶ》台《たい》となっている洋館《ようかん》だと気《き》づいた。

美希《みき》の家《いえ》で家電《かでん》が暴走《ぼうそう》したとき、いきなり液晶画面《えきしょうがめん》に映《うつ》し出《だ》されたゾン

ビものの海外《かいがい》ドラマである。

「そう。パイセンたちにクリアしてもらうのは、『ワンダーリング・デッド』のVR《ブイアール》ゲームだにゅ」

レイアが告《つ》げた瞬間《しゅんかん》、部屋《へや》の中《なか》に数人《すうにん》の人影《ひとかげ》が現《あらわ》れた。

人々《ひとびと》は皆《みな》、青白《あおじろ》い顔《かお》で、その動《うご》きはどこかぎこちない。

……と、そのひとりが健太《けんた》の腕《うで》をつかんできた。

大《おお》きな口《くち》を開《あ》けた恐《おそ》ろしい顔《かお》が、目《め》の前《まえ》に迫《せま》る。

「ゾ、ゾンビ!?　うわああっ!!」

真実《しんじつ》は、冷静《れいせい》な顔《かお》でレーザーガンを構《かま》える。健太《けんた》に襲《おそ》いかかろうとしていたゾンビは、今《こん》度《ど》は両手《りょうて》を広《ひろ》げ、真実《しんじつ》に向《む》かってきた。見《み》ると、その胸《むね》には的《まと》がついている。その的《まと》のど真《ま》ん中《なか》を、真実《しんじつ》は、１ミリの狂《くる》いもない正確《せいかく》さで撃《う》ち抜《ぬ》いた。

次《つぎ》の瞬間《しゅんかん》、ゾンビは、しゅっと、煙《けむり》のように消《き》える。

真実《しんじつ》が残《のこ》りのゾンビたちも次々《つぎつぎ》と撃《う》ち倒《たお》していくなか、健太《けんた》は恐怖《きょうふ》にすくみあがっているだけで何《なに》もできなかった。

そんな健太《けんた》に、レイアは冷《ひ》ややかに言《い》う。

「今《いま》のは、ただのテストだにゅ。健太《けんた》パイセン、リタイアするなら今《いま》のうちだにゅ。このゲームは、始《はじ》まったら最後《さいご》、ボディースーツが脱《ぬ》げなくなる。クリアしない限《かぎ》り、永遠《えいえん》に仮想空間《かそうくうかん》の中《なか》でゾンビに追《お》われ続《つづ》けることになるんだにゅ」

「え、永遠《えいえん》に⁉」

健太《けんた》の顔《かお》から、血《ち》の気《け》が引《ひ》いた。レイアは、ニヤリとする。

「でも今《いま》ならまだ引《ひ》き返《かえ》せるにゅ。もともとこのゲームは、人間《にんげん》との対戦《たいせん》を通《とお》して、ＡＩ《エーアイ》の最適化能力《さいてきかのうりょく》を進化《しんか》させるために開発《かいはつ》されたものにゅ。真実《しんじつ》パイセンのような人《ひと》がプレーしてこそ意味《いみ》があるんだにゅ。このステージは、物事《ものごと》の裏《うら》を見通《みとお》す力《ちから》を持《も》つ人《ひと》しかクリアできないにゅ。健太《けんた》パイセンにはムリにゅよ」

レイアの言葉《ことば》が、健太《けんた》の心《こころ》にグサグサと突《つ》き刺《さ》さる。

「健太《けんた》パイセンは、真実《しんじつ》パイセンの足《あし》を引《ひ》っ張《ぱ》るお荷物《にもつ》だってことを、そろそろ自覚《じかく》すべきにゅ」

そのとき、いち早《はや》く健太《けんた》に言葉《ことば》をかけたのは、ナナミだった。

「健太《けんた》サンは、お荷物《にもつ》ではありませン。先《さき》ほどの関門《かんもん》で、どちらの美希《みき》サンもニセモノではと気《き》づいたのは、健太《けんた》サンでス」

真実《しんじつ》も続《つづ》けて言《い》った。

「そうとも。健太《けんた》くんはだいじな友達《ともだち》だ。勝手《かって》にお荷物《にもつ》だなどと決《き》めつけないでほしい」

ナナミと真実《しんじつ》の言葉《ことば》が、くじけかけていた健太《けんた》の心《こころ》を一気《いっき》に奮《ふる》い立《た》たせた。

「レイアちゃん、ぼくは、リタイアなんかしないよ。友達《ともだち》のためなら、何《なん》だってできるんだ！」

健太《けんた》は、そう強《つよ》く宣言《せんげん》し、決意《けつい》に満《み》ちた目《め》でレイアを見返《みかえ》した。


ゲームのスタートと同時《どうじ》に、部屋《へや》の壁《かべ》には、ＱＲ《キューアール》コードが現《あらわ》れた。

それをナナミに読《よ》み込《こ》ませると、タブレット上《じょう》に、館《やかた》の間取《まど》り図《ず》が映《うつ》し出《だ》される。

「１とか、２とか、数字《すうじ》が書《か》かれた部屋《へや》があるけど、これは何《なん》なの？」

間取《まど》り図《ず》を見《み》ながら、健太《けんた》がたずねる。

「それは、パスワードを入手《にゅうしゅ》できる部屋《へや》にゅ。番号《ばんごう》が書《か》かれた四《よっ》つの部屋《へや》を順番《じゅんばん》にまわって、それぞれ1文字《もじ》ずつ、四《よっ》つの文字《もじ》をゲットすれば、パイセンたちはゲームをクリアしたことになるにゅ」

「な〜んだ。それなら簡単《かんたん》じゃないか」

間取《まど》り図《ず》で見《み》る限《かぎ》り、ゾンビの館《やかた》は単純《たんじゅん》な構造《こうぞう》で部屋《へや》数《かず》もそれほど多《おお》くない。

ゾンビが怖《こわ》いことをのぞけば、ゲームをクリアするのは簡単《かんたん》に思《おも》えたのだ。

「パスワードは、そこにある用紙《ようし》に書《か》き込《こ》んでいくんだにゅ」

テーブルの上《うえ》には、四《よっ》つの枠《わく》が並《なら》んだ紙《かみ》が置《お》かれている。健太《けんた》は、その紙《かみ》を手《て》に取《と》ると、真実《しんじつ》とともに居間《いま》を飛《と》び出《だ》した。

扉《とびら》を開《あ》けると、目《め》の前《まえ》には、前方《ぜんぽう》にまっすぐ伸《の》びた廊下《ろうか》と、左右《さゆう》に伸《の》びた廊下《ろうか》があった。

最初《さいしょ》のパスワードを入手《にゅうしゅ》できる『１』の部屋《へや》は、前方《ぜんぽう》に伸《の》びた廊下《ろうか》を少《すこ》し行《い》った左手《ひだりて》にある。ふたりが歩《ある》き出《だ》そうとしたそのとき——。

「ううう……。ううう……」

不気味《ぶきみ》なうなり声《ごえ》とともに、左右《さゆう》に伸《の》びた廊下《ろうか》の奥《おく》で、何《なに》かがうごめく。
……ゾンビだ！　それも１体《たい》ではない。おおぜいのゾンビたちが、右《みぎ》からも、左《ひだり》からも、ぞろぞろと、こちらに向《む》かってやってくる！

「ひゃあああっ！」

「健太《けんた》くん、落《お》ち着《つ》くんだ。１番目《ばんめ》の部屋《へや》はすぐそこだ」
真実《しんじつ》は、健太《けんた》をうながし、『１』と書《か》かれた扉《とびら》の前《まえ》に行《い》く。
ふたりは、その部屋《へや》に逃《に》げ込《こ》むと、急《いそ》いで扉《とびら》を閉《し》めた。

その部屋《へや》は、書庫《しょこ》だった。２列《れつ》に並《なら》んだ書棚《しょだな》には、本《ほん》だけでなく、古《ふる》い地球儀《ちきゅうぎ》や、びんに入《はい》った何《なに》かの生《い》き物《もの》のホルマリン漬《づ》けがたくさん置《お》かれている。

「あった！　パスワード！」

書棚《しょだな》と書棚《しょだな》のあいだの床《ゆか》に、大《おお》きく書《か》かれた『E《イー》』という文字《もじ》を見《み》つけた健太《けんた》は、一瞬《いっしゅん》、恐怖《きょうふ》を忘《わす》れ、夢中《むちゅう》でパスワードの用紙《ようし》を取《と》り出《だ》し、それをメモしようとした。

そのとき、ホルマリン漬《づ》けのびんの向《む》こうで、ふたつの目玉《めだま》がギョロリと動《うご》いた。

次《つぎ》の瞬間《しゅんかん》、部屋《へや》のあちこちから、ゾンビが飛《と》び出《だ》してきた。

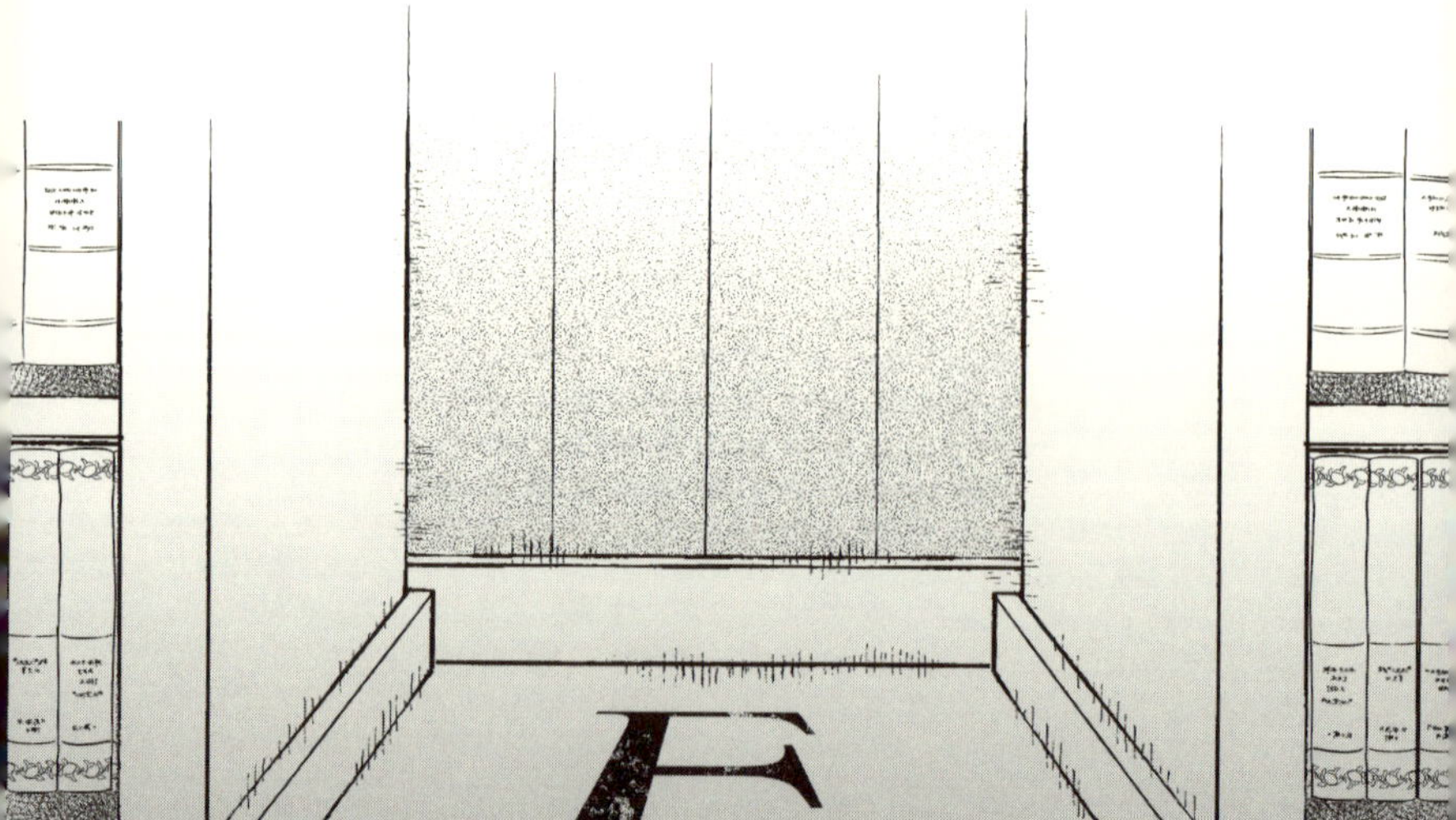

真実《しんじつ》と健太《けんた》は、たちまちまわりを囲《かこ》まれる。

「ただの立体映像《りったいえいぞう》だ。恐《おそ》れることはないよ」

真実《しんじつ》は、無駄《むだ》のない動《うご》きで、次々《つぎつぎ》とゾンビたちの胸《むね》の的《まと》をねらい撃《う》つ。

健太《けんた》も、レーザーガンを取《と》り出《だ》し、ゾンビにねらいをつけるが……しかし撃《う》てない。怖《こわ》いのはもちろんのこと、人間《にんげん》の形《かたち》をしたものを、健太《けんた》は、どうしても撃《う》てなかったのだ。

（やっぱりぼくは、真実《しんじつ》くんのお荷物《にもつ》にしかなれないのかな……）

そのとき、１体《たい》のゾンビが、背後《はいご》から真実《しんじつ》に襲《おそ》いかかってきた。

「真実《しんじつ》くん、危《あぶ》ない！」

健太《けんた》は、とっさに真実《しんじつ》をかばい、真実《しんじつ》に抱《だ》きつく。次《つぎ》の瞬間《しゅんかん》、健太《けんた》の肩《かた》に激痛《げきつう》が走《はし》った。ゾンビの歯《は》が、健太《けんた》の肩《かた》に深《ふか》く食《く》い込《こ》んでいる。特殊《とくしゅ》なボディースーツを通《とお》して、健太《けんた》はその痛《いた》みを感《かん》じたのだ。

「健太《けんた》くん、だいじょうぶか!?」

真実《しんじつ》が叫《さけ》んだ瞬間《しゅんかん》、ふたりの目《め》の前《まえ》に、『GAME《ゲーム》 OVER《オーバー》』の文字《もじ》が表示《ひょうじ》された。

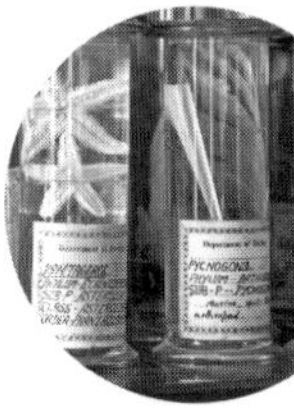

ホルマリン
ホルムアルデヒドの水《すい》溶液《ようえき》。消毒作用《しょうどくさよう》があるため、生物《せいぶつ》の組織標本《そしきひょうほん》をつくるときに保存液《ほぞんえき》として使《つか》われる。人体《じんたい》には有毒《ゆうどく》。

次《つぎ》の瞬間《しゅんかん》、真実《しんじつ》と健太《けんた》は、もとの居間《いま》に戻《もど》っていた。

「健太《けんた》パイセン、さっそく、やらかしちゃったにゅ～」

居間《いま》に戻《もど》ったふたりの前《まえ》に、アバターのレイアが現《あらわ》れ、言《い》った。

「このゲームは、パイセンたちのどちらか一方《いっぽう》がゾンビに噛《か》まれると、ゲームオーバーになって、ふりだしに戻《もど》るんだにゅ」

「えっ、じゃあ、パスワードもリセットされちゃうの？」

「もちろんだにゅ。さっきパイセンたちが見《み》つけたパスワードは、無効《むこう》にゅよ」

レイアの言葉《ことば》に、健太《けんた》はガックリと肩《かた》を落《お》とす。

ふたりは、もう一度《いちど》、最初《さいしょ》からゲームをやり直《なお》すことになった。

居間《いま》を出《で》て最初《さいしょ》のパスワードが手《て》に入《はい》る書庫《しょこ》に行《い》くと、前回《ぜんかい》床《ゆか》に書《か》かれていた『E《イー》』が『P《ピー》』に変《か》わっていた。健太《けんた》は、それを用紙《ようし》に書《か》き込《こ》む。

すると、1回目《かいめ》と同《おな》じように、部屋《へや》のあちこちから、ゾンビが現《あらわ》れた。

ふたりは、急《いそ》いで部屋《へや》を飛《と》び出《だ》した。

「……ヘンだな」

真実《しんじつ》は首《くび》をかしげた。

「間取《まど》り図《ず》では、この部屋《へや》の真向《まむ》かいに、『2』の部屋《へや》があるはずなんだが……」

しかし、『1』の部屋《へや》の向《む》かいに、部屋《へや》はなかった。

真実《しんじつ》は、口元《くちもと》に手《て》を当《あ》て、考《かんが》えはじめる。

そのとき、廊下《ろうか》の曲《ま》がり角《かど》から、ゾンビの集団《しゅうだん》が現《あらわ》れた。

「うわあぁっ、やばい！　真実《しんじつ》くん、とりあえず、ここは逃《に》げよう！」

ゾンビの集団《しゅうだん》に追《お》われながら、ふたりは、廊下《ろうか》を必死《ひっし》で走《はし》った。

しばらくして、『2』の扉《とびら》が、ようやく見《み》つかる。

ふたりは間一髪《かんいっぱつ》、その部屋《へや》の中《なか》へと逃《に》げ込《こ》んだ。

そこは、どうやら子《こ》ども部屋《べや》のようだ。

ピンクの天蓋《てんがい》がついたベッドの脇《わき》には、木馬《もくば》が置《お》かれている。

木馬《もくば》の背中《せなか》には、大《おお》きく『I《アイ》』と書《か》かれていた。

「やった！　2番目《ばんめ》のパスワード、ゲ〜ット！」

だが、振《ふ》り向《む》いた瞬間《しゅんかん》、青白《あおじろ》い顔《かお》をした少女《しょうじょ》が、ガーッと牙《きば》をむき、健《けん》太《た》に迫《せま》ってきた。

「うわああっ!!」

ふたりは、その部屋《へや》を飛《と》び出《だ》した。


廊下《ろうか》に戻《もど》ると、ゾンビたちはいなくなっていた。

『3』の部屋《へや》は、廊下《ろうか》の突《つ》き当《あ》たりを右《みぎ》に曲《ま》がったところにある。

「今《いま》のうちに急《いそ》ごう」

真実《しんじつ》は、健太《けんた》をうながし、廊下《ろうか》を走《はし》りはじめた。

だがしばらくして、足《あし》が止《と》まる。

「……おかしい」

天蓋《てんがい》
ベッドなどを覆《おお》うように吊《つ》り下《さ》げる布《ぬの》。もともとは、高貴《こうき》な人《ひと》の寝《ね》姿《すがた》を隠《かく》すためのものだった。

「真実《しんじつ》くん、どうしたの？」

「走《はし》れば走《はし》るほど、突《つ》き当《あ》たりが遠《とお》のいていく」

「本当《ほんとう》だ！　どうして？」

真実《しんじつ》と健太《けんた》は、あらためてタブレットで間取《まど》り図《ず》を確認《かくにん》した。

「あれ？　さっきと違《ちが》うよ！」

間取《まど》り図《ず》の部屋《へや》が、さっきより増《ふ》えていたのだ。

「……やはりそうか。この館《やかた》は、ぼくたちが移動《いどう》するたび、その先《さき》に新《あたら》しくどんどん部屋《へや》がつくられていく。どこまで行《い》っても、目的《もくてき》の部屋《へや》にはたどり着《つ》けないようになっているんだ」

「ええっ⁉」

驚《おどろ》く健太《けんた》の前《まえ》に、アバターのレイアが、ヌッと現《あらわ》れた。

「そのとおりだにゅ。この館《やかた》は、宇宙空間《うちゅうくうかん》のように、永遠《えいえん》に広《ひろ》がり続《つづ》けるんだにゅ。パイセンたちは、悪夢《あくむ》のような館《やかた》の中《なか》を、さまよい続《つづ》けるしかないんだにゅ」

「そんな……ひどい、こんなゲームは反則《はんそく》だよ！」

健太《けんた》は声《こえ》を張《は》り上《あ》げたが、レイアは「バイにゅ〜」と消《き》えていく。

「健太《けんた》サン、落《お》ち着《つ》いてください。何《なに》か攻略《こうりゃく》する方法《ほうほう》があるはずでス」

ナナミになだめられ、健太《けんた》は深呼吸《しんこきゅう》をひとつして考《かんが》えた。

「……そうだ！　館《やかた》が広《ひろ》がるスピードよりも速《はや》く走《はし》ればいいんじゃない？　試《ため》しに、ぼく、やってみるよ！」

健太《けんた》は、真実《しんじつ》にタブレットを託《たく》すと、全速力《ぜんそくりょく》で廊下《ろうか》を駆《か》け出《だ》していった。

そのうしろ姿《すがた》を、真実《しんじつ》は見《み》つめる。そのとき、ふと、あることに気《き》づいた。

健太《けんた》が移動《いどう》しても、突《つ》き当《あ》たりの位置《いち》は変《か》わらないのだ。

間取《まど》り図《ず》を見《み》ても、部屋《へや》の数《かず》は増《ふ》えていない。

「進路《しんろ》に新《あたら》しい部屋《へや》がつくられるのは、ぼくが移動《いどう》した場合《ばあい》だけなのか？」

そのとき、「助《たす》けてえええ!!」と叫《さけ》びながら、ゾンビの集団《しゅうだん》に追《お》われた健太《けんた》が、廊下《ろうか》を駆《か》け戻《もど》ってきた。

「健太《けんた》くん！」

真実《しんじつ》は、ゾンビたちの前《まえ》に躍《おど》り出《で》て、レーザーガンを構《かま》える。

すると、ゾンビたちは、わらわらと散《ち》っていった。

「ゾンビたちは、もっぱら健太《けんた》くんばかりを襲《おそ》い、ぼくのことは襲《おそ》ってこない。ゲームを始《はじ》めて最初《さいしょ》の何分《なんぷん》かは、同《おな》じ割合《わりあい》でふたりを襲《おそ》ってきたのに、いったいどういうことだ？」

真実《しんじつ》は、人《ひと》さし指《ゆび》で眼鏡《めがね》をクイッと持《も》ち上《あ》げた。

「……そうか、そういうことか」

真実《しんじつ》はつぶやき、健太《けんた》に向《む》き直《なお》った。

「健太《けんた》くん、二手《ふたて》に分《わ》かれよう」

「えっ？」

「このゲームをクリアし、広《ひろ》がり続《つづ》ける宇宙空間《うちゅうくうかん》のような館《やかた》から脱出《だっしゅつ》できる方法《ほうほう》が、ひとつだけある」

真実《しんじつ》が考《かんが》えた作戦《さくせん》とは、どちらかひとりが館《やかた》の中《なか》を適当《てきとう》な方向《ほうこう》へ動《うご》き回《まわ》り、そのすきに別《べつ》のひとりがゲームをクリアするというものだった。

「ただしこの作戦《さくせん》が使《つか》えるのは、ほんの短《みじか》い時間《じかん》……しかも１回限《かいかぎ》りだ。この１回《かい》のチャンスを逃《のが》したら、ぼくたちは、永遠《えいえん》にゲームから出《で》られなくなるかもしれない……」

「じゃあ、適当《てきとう》な方向《ほうこう》へ動《うご》き回《まわ》る役《やく》はぼくがやるの？」

「いや、それはぼくの役目《やくめ》だ。ゲームをクリアするのは、健太《けんた》くん、きみさ」

真実《しんじつ》は、そう言《い》って、健太《けんた》の目《め》をまっすぐ見《み》つめる。

「きみにしか、このゲームをクリアできないんだ。きみがゾンビと戦《たたか》って自分自身《じぶんじしん》を守《まも》ることができれば、作戦《さくせん》は成功《せいこう》する」

健太《けんた》は、ゴクリと息《いき》をのむ。

そして、決意《けつい》を固《かた》めると、真実《しんじつ》の目《め》をまっすぐ見返《みかえ》した。

「……わかった。ぼく、やるよ！　たった1回《かい》のチャンスをむだにはできない。ゾンビを倒《たお》して、絶対《ぜったい》にこのゲームをクリアしてみせるよ！」


真実《しんじつ》と健太《けんた》は、作戦《さくせん》を実行《じっこう》した。

真実《しんじつ》は、目的《もくてき》の部屋《へや》とは別《べつ》の方向《ほうこう》へ移動《いどう》を開始《かいし》する。すると、その進路《しんろ》には、新《あたら》しい部屋《へや》がどんどんつくられていった。

一方《いっぽう》、健太《けんた》は、3番目《ばんめ》のパスワードが入手《にゅうしゅ》できる部屋《へや》に向《む》かってまっすぐ廊下《ろうか》を走《はし》り出《だ》した。

すると、さっそくゾンビの集団《しゅうだん》が現《あらわ》れる。

「うわあぁっ！　悪霊退散《あくりょうたいさん》!!」

健太《けんた》は叫《さけ》びながら、近《ちか》くの部屋《へや》へと逃《に》げ込《こ》んだ。

そこはバスルーム。壁《かべ》には、『Ｅ《イー》』という文字《もじ》が大《おお》きく書《か》かれていた。

「えっ、これって、もしかしてパスワード!?」

逃《に》げ込《こ》んだのは、偶然《ぐうぜん》にも、パスワードが入手《にゅうしゅ》できる『３』の部屋《へや》だったのだ。

健太《けんた》は、大喜《おおよろこ》びで、その字《じ》をメモする。

『ＰＩＥ《ピーアイイー》』――これでパスワードは三《みっ》つだ。あとひとつ、最後《さいご》のパスワードを見《み》つけられれば……」

最後《さいご》のパスワードが手《て》に入《はい》る４番目《ばんめ》の部屋《へや》は、『３』の部屋《へや》のはす向《む》かいにあった。

その部屋《へや》はキッチン。コンロの上《うえ》には、レトロな西洋風《せいようふう》の鍋《なべ》が置《お》かれている。

「パスワードはどこだ!?」

あたりを見《み》まわしていた健太《けんた》は、突然《とつぜん》、何者《なにもの》かに足《あし》をつかまれる。

テーブルの下《した》にひそんでいたゾンビが、手《て》を伸《の》ばし、健太《けんた》の足《あし》をつかんできたのだ。

健太《けんた》は、心臓《しんぞう》が口《くち》から飛《と》び出《だ》しそうになった。

しかし、ここでひるんだら、たった1回《かい》のチャンスがなくなってしまう。

（真実《しんじつ》くんはぼくを信《しん》じて、たった1回《かい》のチャンスをぼくに託《たく》してくれたんだ。むだにするわけにはいかない……）

健太《けんた》は、目《め》を閉《と》じ、自分《じぶん》に言《い》い聞《き》かせた。

（あれは人間《にんげん》じゃない……ゾンビ……いや、ただのリアルな立体映像《りったいえいぞう》だ！）

目《め》を閉《と》じたまま、やみくもにレーザーガンの引《ひ》き金《がね》を何度《なんど》も引《ひ》く。

しばらくして目《め》を開《あ》けると、ゾンビの姿《すがた》は消《き》えていた。

最後《さいご》のパスワードは、鍋《なべ》のふたの裏《うら》に書《か》かれていた。

それは、『S《エス》』という字《じ》だった。

「最後《さいご》のパスワードは『S《エス》』！　よし、これで全部《ぜんぶ》のパスワードをゲットしたぞ！」

叫《さけ》んだ瞬間《しゅんかん》、恐怖《きょうふ》の館《やかた》は消《き》え、あたりは何《なに》もないフロアに戻《もど》った。

健太《けんた》は、無事《ぶじ》、ゲームをクリアしたのだった。


もとに戻《もど》った部屋《へや》には、真実《しんじつ》の姿《すがた》もあった。真実《しんじつ》は健太《けんた》がいないほうにわざと走《はし》って、そちら側《がわ》にだけ部屋《へや》を増殖《ぞうしょく》させるようにしていたのである。

「真実《しんじつ》くーん！」


健太《けんた》が駆《か》け寄《よ》っていくと、真実《しんじつ》は振《ふ》り向《む》き、にっこりとほほえんだ。

「ありがとう、健太《けんた》くん。きみがゲームをクリアしてくれたおかげで、ぼくたちは、終《お》わりのないゾンビの館《やかた》から脱出《だっしゅつ》することができたよ」

真実《しんじつ》が言《い》うのを聞《き》いて、健太《けんた》の顔《かお》にも、ほほえみが広《ひろ》がった。

「じゃあ、さっそく、パスワードを打《う》ち込《こ》むよ」

健太《けんた》は、ゲットした『Ｐ《ピー》・Ｉ《アイ》・Ｅ《イー》・Ｓ《エス》』のアルファベット４文字《もじ》を、扉《とびら》のキーボードに打《う》ち込《こ》む。ところが！

ブ・ブー

ブザーが鳴《な》り、「パスワードが正《ただ》しくありません」と機械《きかい》の音声《おんせい》が告《つ》げてきた。

「そんな！　ぼく、ちゃんとメモしたよ？」

「パスワードは『ＰＩＥＳ《ピーアイイーエス》』で間《ま》違《ちが》いないはずなのに……」

「……レイアさんは、最初《さいしょ》に『４桁《けた》のパスワード』と言《い》った。４桁《けた》ということは、おそらく数字《すうじ》だろう」

真実《しんじつ》の言葉《ことば》に、健太《けんた》はがく然《ぜん》とした。

「パスワードは数字《すうじ》!?」

途方《とほう》に暮《く》れる健太《けんた》に、そのとき、ナナミが言《い》った。

『ＰＩＥＳ《ピーアイイーエス》』にまつわる数字《すうじ》を見《み》つければいいんですネ。……検索《けんさく》によると、ＰＩＥ《ピーアイイー》はパイ。円周率《えんしゅうりつ》という意味《いみ》もありまス」

「そうか。じゃあ、パスワードは、円周率《えんしゅうりつ》の最初《さいしょ》の４桁《けた》だ！　ええと、ええと……」

「３・１４１」

健太《けんた》にかわって、ナナミがそれをスラリと口《くち》にする。

健太《けんた》は、さっそく「３１４１」と入力《にゅうりょく》してみた。ところが！

ブ・ブー

またしても、エラーが出《で》てしまう。

スピーカーからは、レイアの声《こえ》が聞《き》こえてきた。

「パスワードを打《う》ち込《こ》めるのは、３回《かい》までにゅ。すでに２回《かい》エラーが続《つづ》

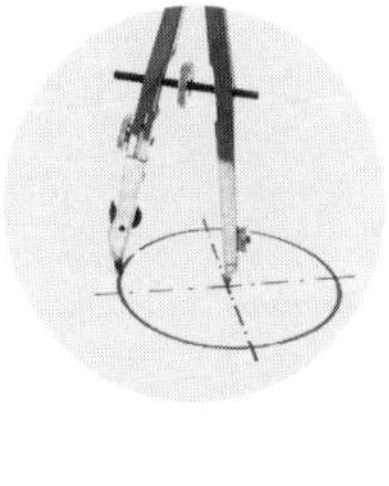

円周率《えんしゅうりつ》

円周《えんしゅう》を直径《ちょっけい》で割《わ》った値《あたい》（直径《ちょっけい》×円周率《えんしゅうりつ》＝円《えん》周《しゅう》）。どこまでいっても割《わ》り切《き》れず、３・１４１５９２６５３５８９……と、無限《むげん》に続《つづ》く。小学校《しょうがっこう》では、３・14で計算《けいさん》することが多《おお》い。中学校《ちゅうがっこう》以上《いじょう》の数学《すうがく》では、円周率《えんしゅうりつ》を表《あらわ》す、π《パイ》という記号《きごう》を用《もち》いる。

いたから、チャンスはあと1回《かい》にゅ。失敗《しっぱい》したらパイセンたちは、永遠《えいえん》にこの部屋《へや》から出《で》られないにゅよ」

「そんな……せっかくゲームをクリアしたのに、ここから出《で》られないんじゃ意味《いみ》ないよ」

弱気《よわき》になった健太《けんた》に、真実《しんじつ》は、ほほえみながら言《い》った。

「落《お》ち着《つ》いて考《かんが》えれば、だいじょうぶさ。どんなナゾにも必《かなら》ず答《こた》えはある。壁《かべ》に突《つ》き当《あ》たったときは、じっくり観察《かんさつ》したり、アプローチを変《か》えたりすればいいんだ」

「……そうだよね。解《と》けないナゾはないんだよね」

真実《しんじつ》のひとことで、健太《けんた》は、落《お》ち着《つ》きを取《と》り戻《もど》した。

真実《しんじつ》も、『PIES《ピーアイイーエス》』を数字《すうじ》に置《お》きかえる方法《ほうほう》を考《かんが》えはじめる。

しかし、あらゆる可能性《かのうせい》を一《ひと》つひとつ頭《あたま》の中《なか》で検証《けんしょう》していた真実《しんじつ》は、答《こた》えを出《だ》すのに時間《じかん》を要《よう》した。

一方《いっぽう》、パスワードの入力《にゅうりょく》画面《がめん》をじっと見《み》ていた健太《けんた》は、ハッとして目《め》を見開《みひら》いた。

そして、『PIES《ピーアイイーエス》』の文字《もじ》を書《か》きこんだ用紙《ようし》を、縦《たて》にしたり、逆《さか》さにしたりして、ながめていたが、しばらくして、「あっ！」と叫《さけ》んだ。

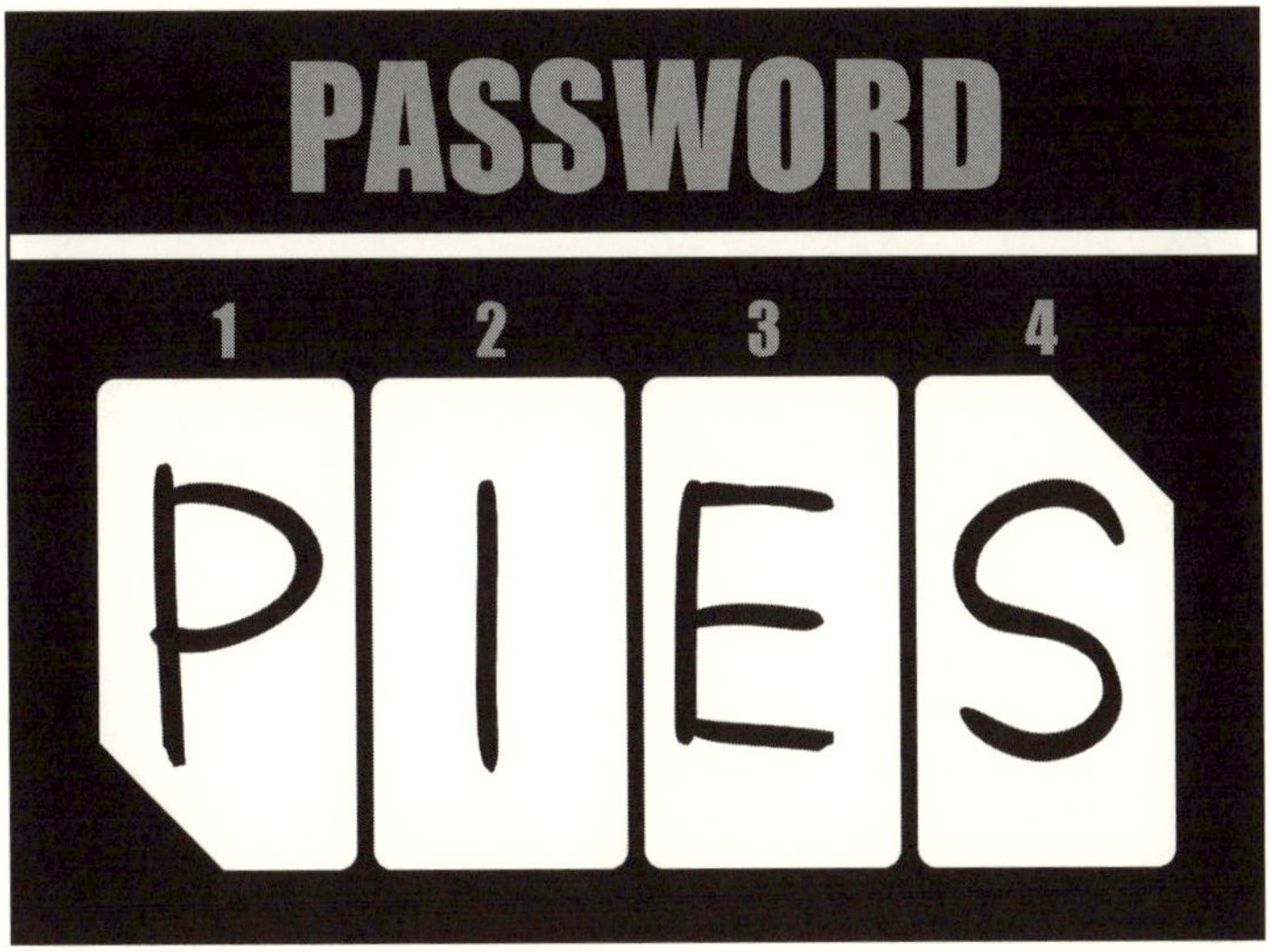

「わかった！
ぼく、正解《せいかい》がわかったよ！」

パスワードの入力《にゅうりょく》画面《がめん》と用紙《ようし》をよく見比《みくら》べてみよう。

解《かい》決《けつ》編《へん》

「今度《こんど》こそ、絶対《ぜったい》に間違《まちが》いないはずだ……いや、でも、もし間違《まちが》っていたら……？」

キーボードに伸《の》ばしかけた手《て》が止《と》まる。

「健太《けんた》くん、きみを信《しん》じるよ」

そのとき、真実《しんじつ》がかたわらでうなずきながら、健太《けんた》にほほえみかけた。

健太《けんた》は、迷《まよ》いを吹《ふ》っ切《き》って、キーボードに『２３１９』と打《う》ち込《こ》む。すると……。


ピンポンピンポーン♪


軽快《けいかい》な音《おと》とともに、「正解《せいかい》でス。パスワードが認証《にんしょう》されましタ」と機械《きかい》が告《つ》げた。

次《つぎ》の瞬間《しゅんかん》、ゴゴゴゴゴ……と重《おも》い音《おと》を立《た》てながら、鉄《てつ》の扉《とびら》が開《ひら》く。

真実《しんじつ》と健太《けんた》は、閉《と》じ込《こ》められていた部屋《へや》から、ようやく解放《かいほう》されたのだった。


「健太《けんた》サン、すごイ！　いったいどうやって正解《せいかい》がわかったんですカ？」

驚《おどろ》いたようすでたずねてきたナナミに、健太《けんた》は得意《とくい》げに言《い》った。

「入力画面《にゅうりょくがめん》の枠《わく》の形《かたち》が、この用紙《ようし》と違《ちが》うことに気《き》づいたんだ」

「確《たし》かに、枠《わく》の欠《か》けている位置《いち》が、入《にゅう》力《りょく》画面《がめん》と用紙《ようし》では違《ちが》っているね」

「うん。それで、どうしたら枠《わく》の形《かたち》が合《あ》うのか、いろんな方向《ほうこう》から見《み》てみたんだ。すると裏《うら》から透《す》かして見《み》たとき、枠《わく》の形《かたち》がぴったり合《あ》って、『ＰＩ《ピーアイ》ＥＳ《イーエス》』が『２３１９』という数字《すうじ》に見《み》えたんだよ」

「そういえば、レイアサンはゲームが始《はじ》まる前《まえ》に、『このステージは、物事《ものごと》の裏《うら》を見通《みとお》す力《ちから》を持《も》つ人《ひと》しかクリアできない』って言《い》っていましタ」

ナナミがうれしそうに健太《けんた》に語《かた》りかける。

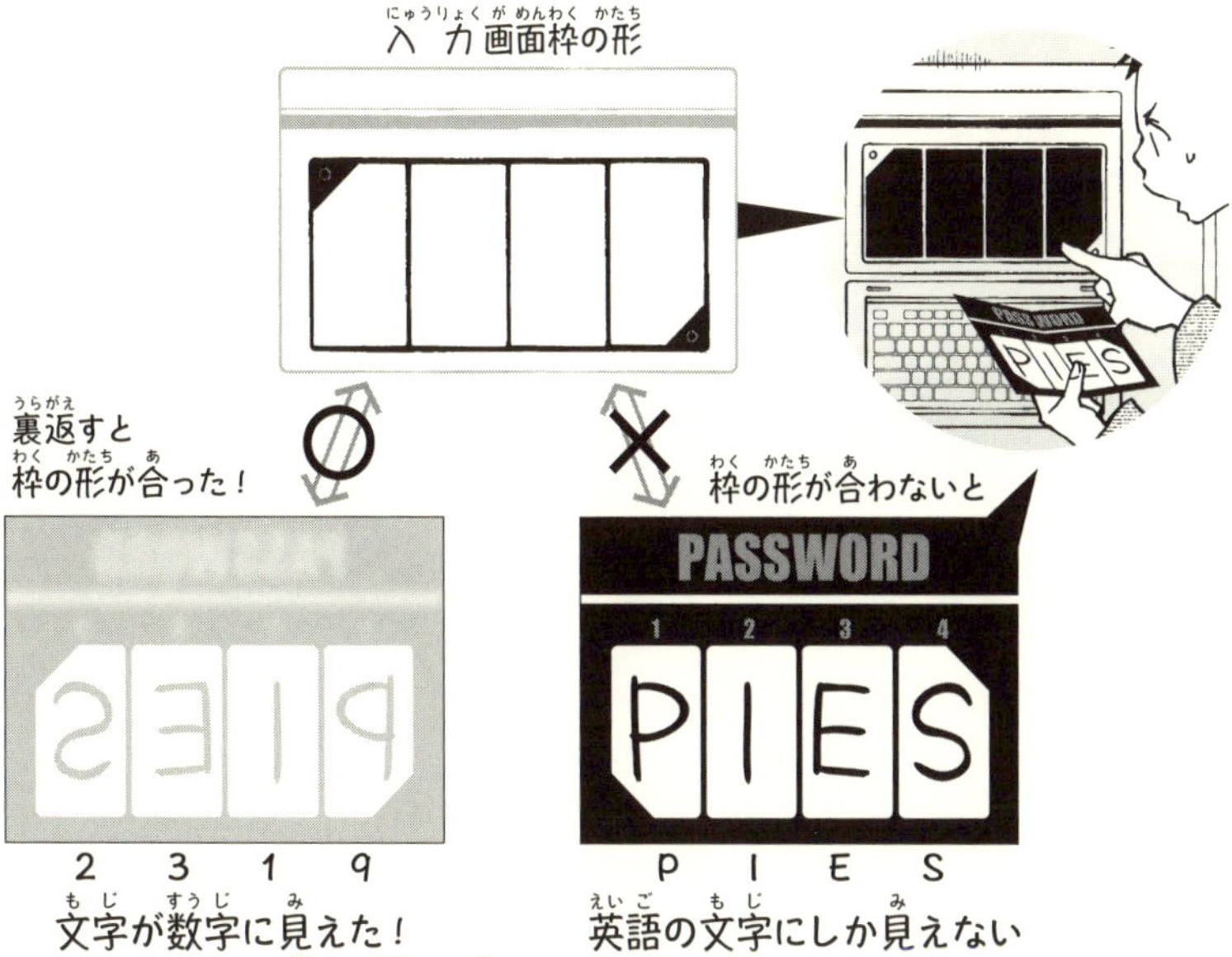
入力画面枠の形《にゅうりょくがめんわくのかたち》
裏返《うらがえ》すと
枠《わく》の形《かたち》が合《あ》った！
枠《わく》の形《かたち》が合《あ》わないと
PASSWORD
1 2 3 4
PIES
2 3 1 9
文字《もじ》が数字《すうじ》に見《み》えた！
P I E S
英語《えいご》の文字《もじ》にしか見《み》えない

※123ページの用紙《ようし》を裏《うら》から見《み》てみよう。

「……なるほど。ぼくやAI《エーアイ》が、ひとつひとつのデータを照合《しょうごう》し、答《こた》えを導《みちび》き出《だ》すところを、健太《けんた》くんは『裏《うら》から透《す》かして見《み》る』という極《きわ》めて直感的《ちょっかんてき》な方法《ほうほう》で、一瞬《いっしゅん》にして正解《せいかい》にたどり着《つ》いたというわけか」

真実《しんじつ》が、感心《かんしん》しながらつぶやく。

「きみのそういうところに、ぼくはいつも驚《おどろ》かされるよ。そういう思考方法《しこうほうほう》は、ぼくにはマネできないから」

「それって、ほめてくれてるの？」

「もちろんさ」

健太《けんた》はうれしくなる。だが、ふと首《くび》をかしげた。

「でもどうしてぼくたちは、ゲームをクリアできたんだろう？」

目的《もくてき》の部屋《へや》とは別《べつ》の方向《ほうこう》へ走《はし》っていったにもかかわらず、真実《しんじつ》の進路《しんろ》にはたくさん部屋《へや》がつくられ、目的《もくてき》の部屋《へや》に向《む》かっていた自分《じぶん》の進路《しんろ》にはまったく部屋《へや》がつくられなかった。健《けん》太《た》にはそのことが不思議《ふしぎ》に思《おも》えたのだ。すると、真実《しんじつ》は言《い》った。

「ゲームのプログラムには、ゼウスのシステムが使《つか》われている。ゼウスは、優秀《ゆうしゅう》なAI《エーアイ》だ。

目的《もくてき》を果《は》たすために、最《もっと》も効率《こうりつ》のよい方法《ほうほう》を自《みずか》ら学習《がくしゅう》し、それを選択《せんたく》することができる」

真実《しんじつ》は、前置《まえお》きしながら続《つづ》けた。

「ＡＩ《エーアイ》の目的《もくてき》はただひとつ――ぼくたちにゲームをクリアさせないこと。ＡＩ《エーアイ》は、ゾンビを撃《う》てない健太《けんた》くんを集中的《しゅうちゅうてき》にゾンビに襲《おそ》わせ、ぼくの進路《しんろ》を妨害《ぼうがい》することが、最《もっと》も効率《こうりつ》よく目的《もくてき》を果《は》たせる方法《ほうほう》と考《かんが》え、それを選択《せんたく》した。ぼくたちは、その裏《うら》をかいたというわけさ」

ＡＩ《エーアイ》は人間《にんげん》と違《ちが》い、徹底《てってい》して、最適化《さいてきか》を追求《ついきゅう》する。

真実《しんじつ》の作戦《さくせん》は、その穴《あな》をついた作戦《さくせん》だった。

「ただしこの作戦《さくせん》が使《つか》えるのは、１回限《かいかぎ》り、短時間《たんじかん》で遂行《すいこう》されなくてはならない。さもないと、ＡＩ《エーアイ》は別《べつ》の最適化手段《さいてきかしゅだん》を見《み》いだし、それを選択《せんたく》しなおしてしまうからね」

ゲームが始《はじ》まる前《まえ》から、真実《しんじつ》は、このゲームをクリアする上《うえ》で、健太《けんた》が重要《じゅうよう》な存在《そんざい》になることに気《き》づいていた。

「ゲームが始《はじ》まる前《まえ》、レイアさんが健太《けんた》くんに何度《なんど》もリタイアを勧《すす》めてきたことにも、ぼくは引《ひ》っかかるものを感《かん》じた。レイアさんは、きみという不確定要素《ふかくていようそ》が入《はい》ることを恐《おそ》れたんだ。予測《よそく》できない要素《ようそ》は、AI《エーアイ》の苦手分野《にがてぶんや》だからね」

「それって、つまり……？」

「つまりこのゲームは、ぼくひとりでは絶対《ぜったい》にクリアできなかったってことさ。健太《けんた》くん、きみというパートナーがいたからこそ、クリアできたんだ」

真実《しんじつ》の言葉《ことば》に、健太《けんた》は胸《むね》が熱《あつ》くなった。

そのとき、レイアの声《こえ》が聞《き》こえてきた。

「なるほど。AI《エーアイ》の穴《あな》に最初《さいしょ》から気《き》づいていたとは、さすがは真実《しんじつ》パイセンだにゅ。足手《あしで》まといの健太《けんた》パイセンをゲームに参加《さんか》させたのは、ゲームをクリアするのに役《やく》に立《た》つと思《おも》ったからなのかにゅ？」

しかし真実《しんじつ》は、きっぱりと答《こた》えた。

「その推測《すいそく》は当《あ》たってないし、レイアさん、そもそもきみとは価値観《かちかん》が違《ちが》う。ぼくは、健太《けんた》くんが役《やく》に立《た》つから一緒《いっしょ》にいるんじゃない。一緒《いっしょ》にいたいから、いるんだ」

それを聞《き》いて、ナナミはつぶやく。

「……そうですカ。人間《にんげん》には『一緒《いっしょ》にいたいからいる』という理由《りゆう》もあるのですネ」

レイアは、しばし沈黙《ちんもく》したあと、スピーカー越《ご》しに言《い》った。

「なるほど、よ～くわかったにゅ。凡人《ぼんじん》の思考《しこう》というものは、ウイルスのように、ほかの人間《にんげん》やＡＩ《エーアイ》にまで感染《かんせん》していくんだにゅ。でもアタシの真《しん》の目的《もくてき》を知《し》ったら、真実《しんじつ》パイセンも、きっと考《かんが》えを変《か》えるにゅよ。最終《さいしゅう》ステージで真実《しんじつ》パイセンは、健太《けんた》パイセンと決別《けつべつ》することになるんだにゅ！」

怒《いか》りに満《み》ちたレイアの声《こえ》が、広《ひろ》いフロアにこだました。

7

SCIENCE TRICK DATA FILE

科学《かがく》トリック データファイル

まるで現実《げんじつ》⁉ VR《ブイアール》のしくみ

VR《ブイアール》（virtual《バーチャル》 reality《リアリティー》）は、日本《にほん》語《ご》で「仮想現実《かそうげんじつ》」といいます。コンピューターで作《つく》った仮想《かそう》の空間《くうかん》の映像《えいぞう》を左右《さゆう》の目《め》に投影《とうえい》して、まるでその場所《ばしょ》にいるような体験《たいけん》をさせる技術《ぎじゅつ》です

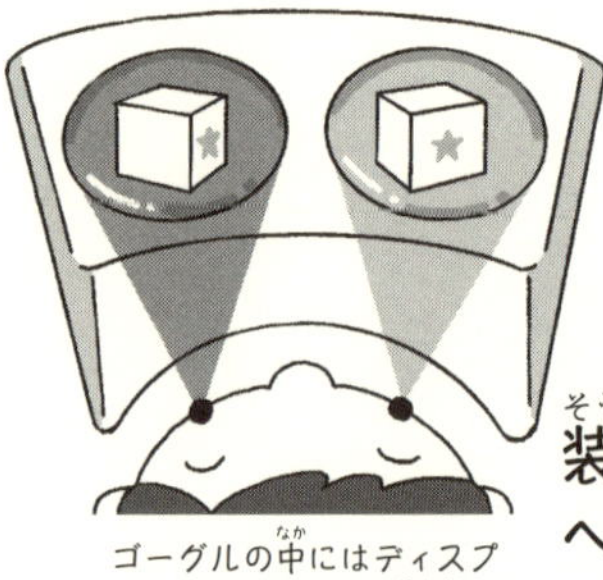

ゴーグルの中《なか》にはディスプレーがついていて、右目用《みぎめよう》と左《ひだり》目用《めよう》の映像《えいぞう》が二《ふた》つ別々《べつべつ》に表示《ひょうじ》される。

装着《そうちゃく》してVR《ブイアール》を見《み》る
ヘッドマウントディスプレー
（ゴーグル）のしくみ

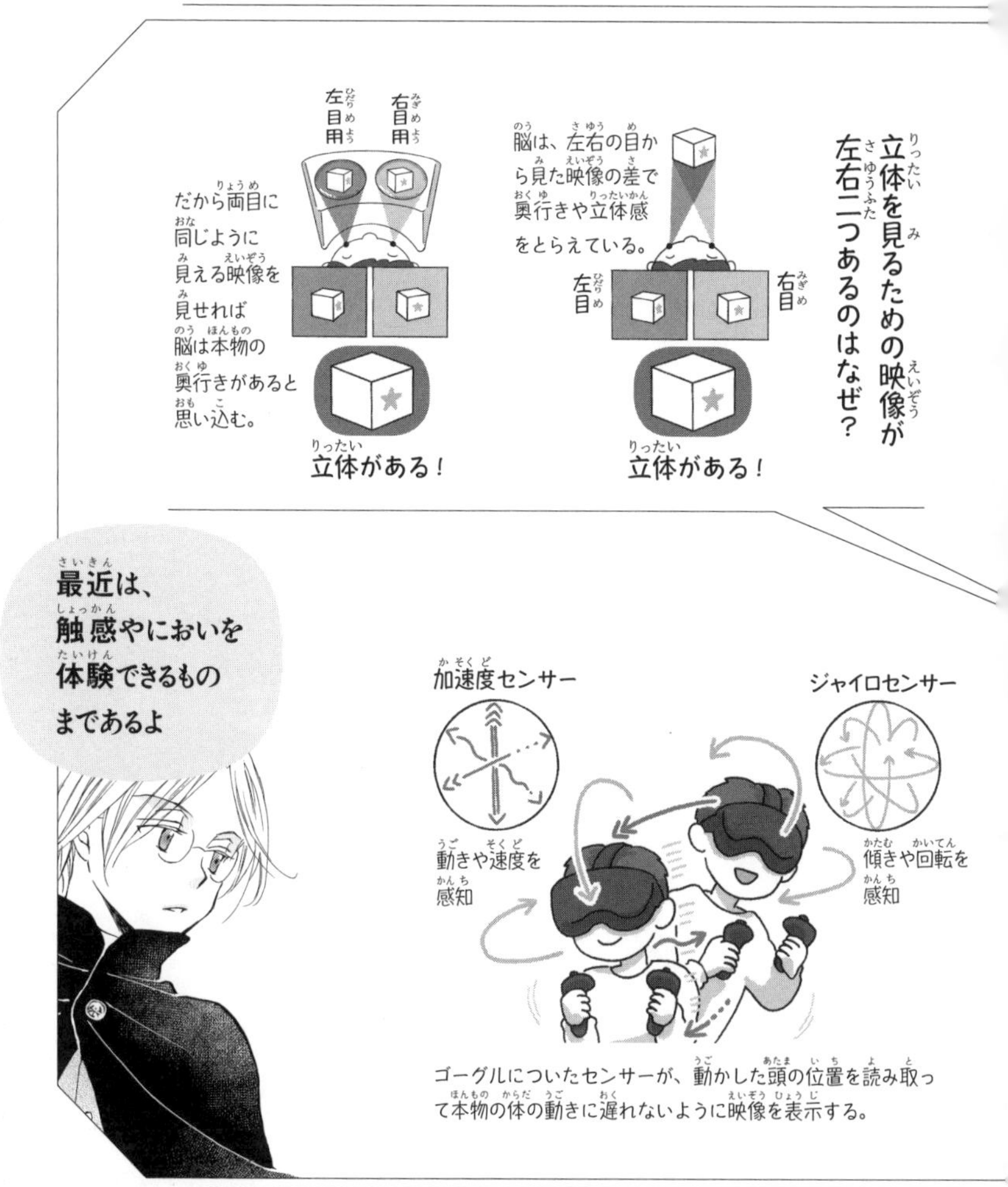
立体《りったい》を見《み》るための映像《えいぞう》が左右《さゆう》二《ふた》つあるのはなぜ？
脳《のう》は、左右《さゆう》の目《め》から見《み》た映像《えいぞう》の差《さ》で奥行《おくゆ》きや立体感《りったいかん》をとらえている。
左目《ひだりめ》
右目《みぎめ》
立体《りったい》がある！
左目用《ひだりめよう》
右目用《みぎめよう》
だから両目《りょうめ》に同《おな》じように見《み》える映像《えいぞう》を見《み》せれば脳《のう》は本物《ほんもの》の奥行《おくゆ》きがあると思《おも》い込《こ》む。
立体《りったい》がある！
最近《さいきん》は、触感《しょっかん》やにおいを体験《たいけん》できるものまであるよ
加速度《かそくど》センサー
動《うご》きや速度《そくど》を感知《かんち》
ジャイロセンサー
傾《かたむ》きや回転《かいてん》を感知《かんち》
ゴーグルについたセンサーが、動《うご》かした頭《あたま》の位置《いち》を読《よ》み取《と》って本物《ほんもの》の体《からだ》の動《うご》きに遅《おく》れないように映像《えいぞう》を表示《ひょうじ》する。

決戦《けっせん》！
名探偵《めいたんてい》 VS.《ブイエス》

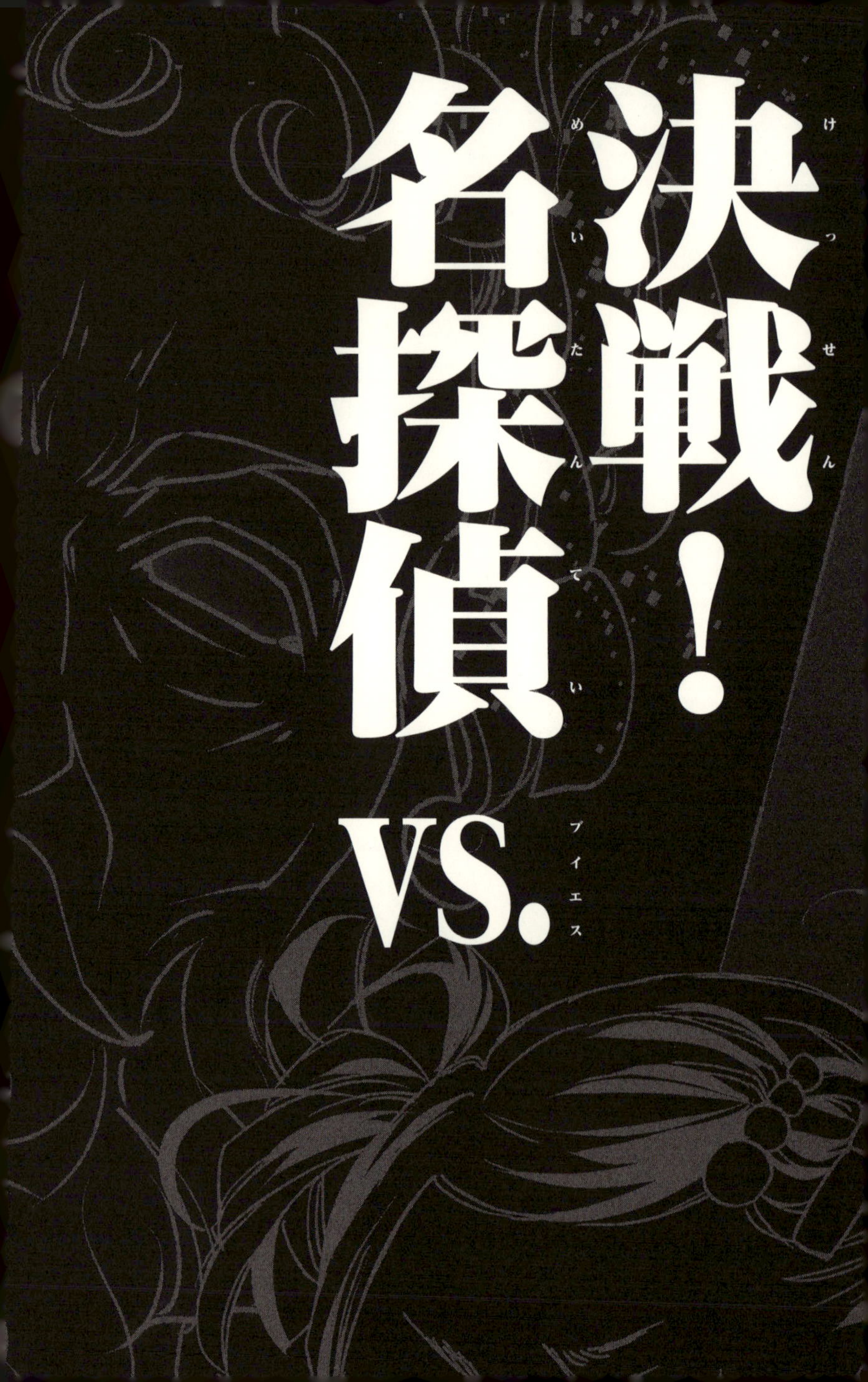

暴走《ぼうそう》するAI《エーアイ》［後編《こうへん》］8

スーパーAI《エーアイ》

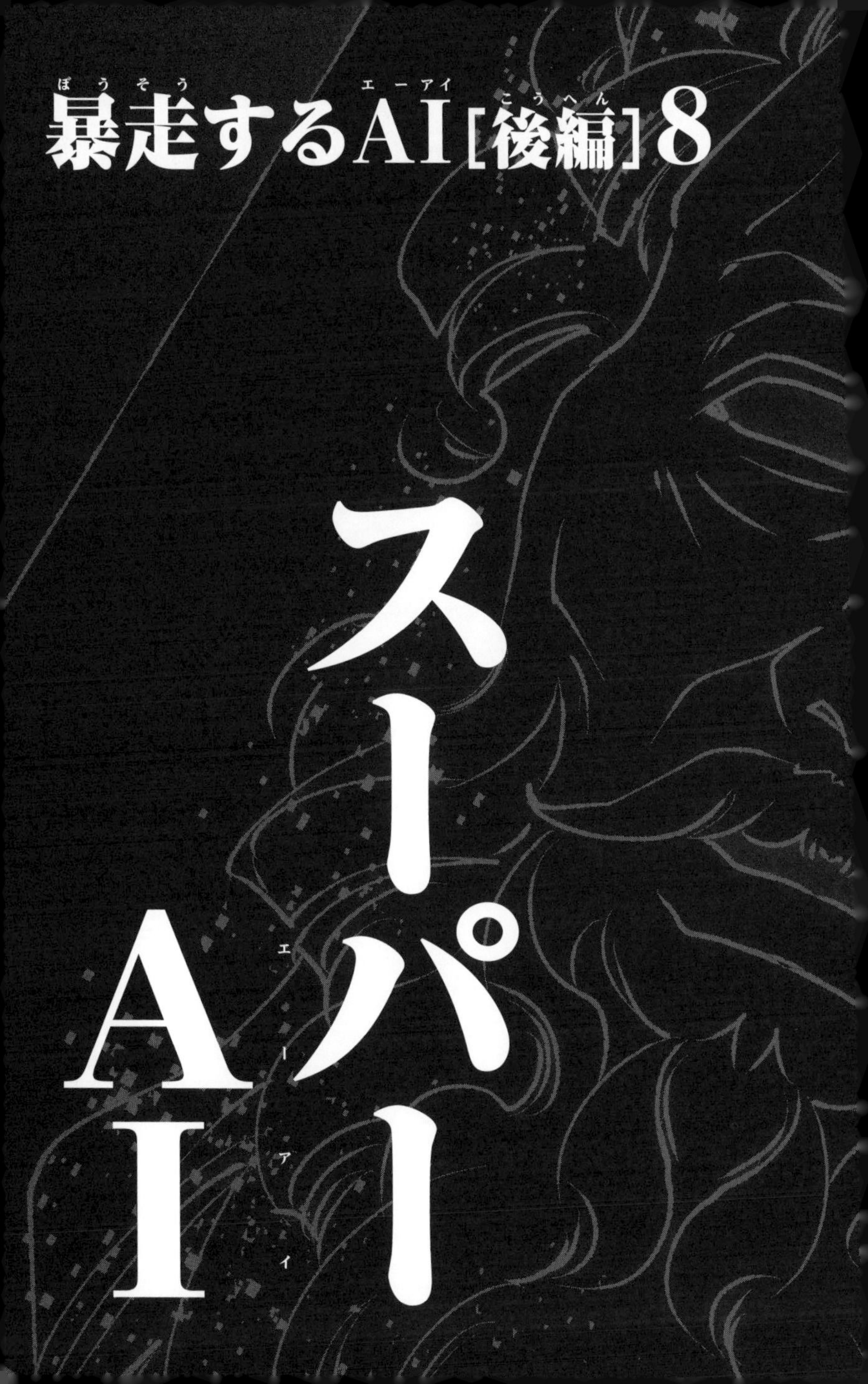

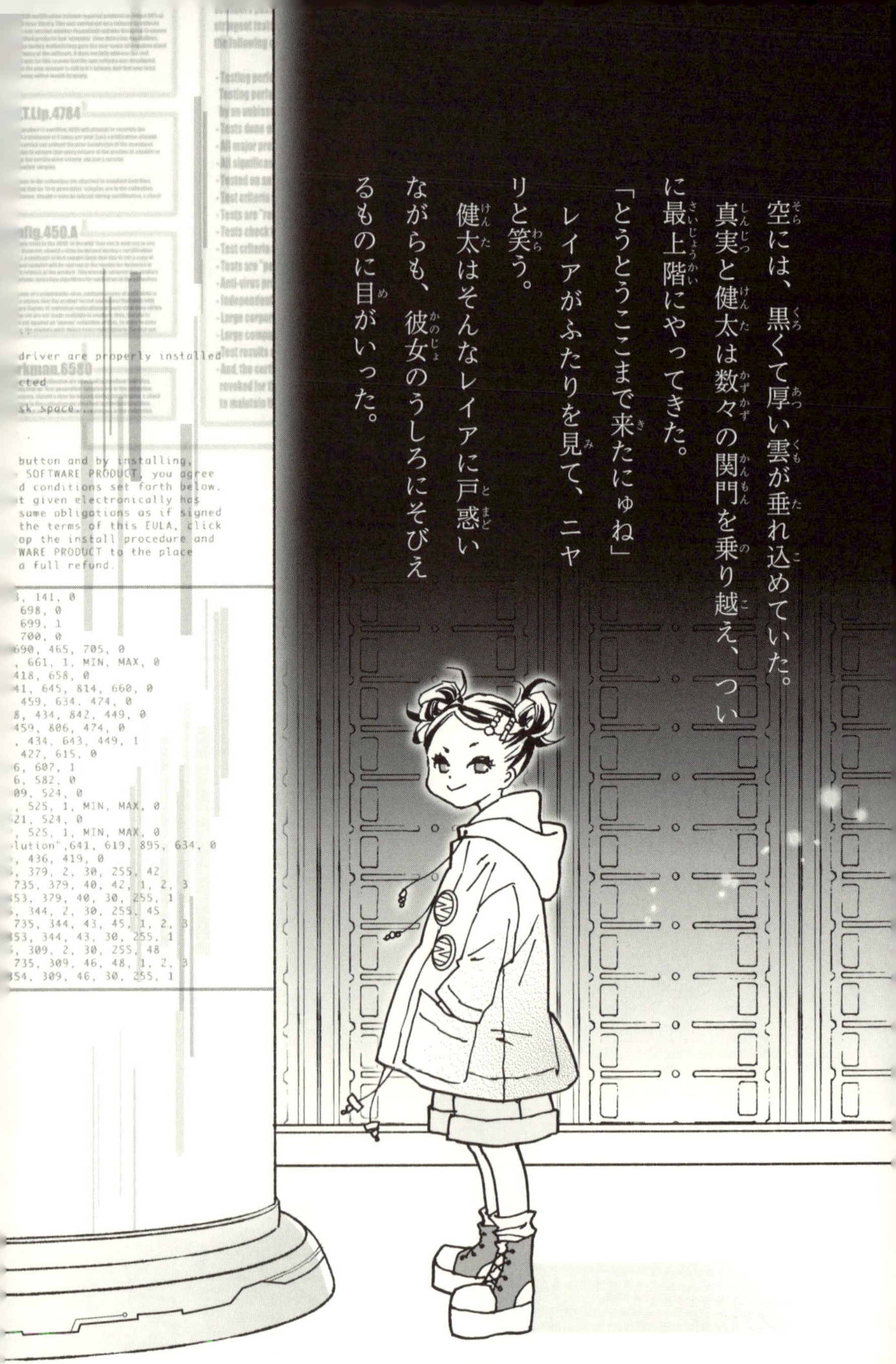

空《そら》には、黒《くろ》くて厚《あつ》い雲《くも》が垂《た》れ込《こ》めていた。

真実《しんじつ》と健太《けんた》は数々《かずかず》の関門《かんもん》を乗《の》り越《こ》え、ついに最上階《さいじょうかい》にやってきた。

「とうとうここまで来《き》たにゅね」

レイアがふたりを見《み》て、ニヤリと笑《わら》う。

健太《けんた》はそんなレイアに戸惑《とまど》いながらも、彼女《かのじょ》のうしろにそびえるものに目《め》がいった。

そこには、円筒形《えんとうけい》のモニターがついた巨大《きょだい》な物体《ぶったい》があったのだ。

「おそらく、あれがホストＡＩ《エーアイ》『スーパーゼウス』だね」

「真実《しんじつ》パイセン、そのとおりだにゅ」

「ん～！　んん～！」

見《み》ると、スーパーゼウスのそばの椅子《いす》に、口《くち》をふさがれ、手足《てあし》をロープで縛《しば》られた円城《えんじょう》の姿《すがた》があった。

「レイアちゃん、きみはいったい何《なに》がしたいの？　きみの理想《りそう》の町《まち》っていったい何《なに》？」

「真《しん》の目的《もくてき》……、きみはそう言《い》っていたよね？」

「ここまで来《き》たごほうびに教《おし》えてあげるにゅ」

レイアはそう言《い》うと、またニヤリと笑《わら》い、スーパーゼウスをうれしそうになでた。

「今《いま》からアタシはこのスーパーゼウスを利用《りよう》して、人々《ひとびと》を支配《しはい》するにゅ」

「支配《しはい》!?　レイアちゃんが？」

「健太《けんた》パイセン。支配《しはい》っていっても悪《わる》い意味《いみ》じゃないにゅよ。優秀《ゆうしゅう》な人間《にんげん》がコントロールすることでＡＩ《エーアイ》はより正《ただ》しい答《こた》えを出《だ》してくれるにゅ。だからアタシがＡＩ《エーアイ》を利用《りよう》してこの世《せ》界《かい》を動《うご》かすことができれば、貧富《ひんぷ》の差《さ》も戦争《せんそう》も環境《かんきょう》破壊《はかい》だってなくなるにゅよ」

「それって、世界《せかい》が平和《へいわ》になるってこと……？　でも……」

健太《けんた》は戸惑《とまど》った。

レイアはそんな健太《けんた》にかまわず、真実《しんじつ》を見《み》つめて言《い》った。

「真実《しんじつ》パイセン、アタシの仲間《なかま》になるにゅ。パイセンのような優秀《ゆうしゅう》な頭脳《ずのう》の持《も》ち主《ぬし》は、『Ａ《エー》Ｉ《アイ》を使《つか》う側《がわ》』になるべきにゅ。アタシはそのことをわかってほしくて、このクロノスタワーでパイセンをＡ《エー》Ｉ《アイ》と戦《たたか》わせる関門《かんもん》をしかけたんだにゅ」

「つまり、デモンストレーションだったってわけか」

「真実《しんじつ》くん、どういうこと？」

「彼女《かのじょ》は、ぼくにＡ《エー》Ｉ《アイ》のすばらしさを見《み》せたくて、さまざまな関門《かんもん》をつくったんだ。どれもＡ《エー》Ｉ《アイ》の特性《とくせい》を生《い》かしたものだっただろう」

「そう言《い》われればそうだったよね……」

「でも、Ａ《エー》Ｉ《アイ》にはまだまだ改善点《かいぜんてん》があることも、ここまで来《き》た真実《しんじつ》パイセンには、わかっているはずだにゅ。さあ、真実《しんじつ》パイセン。アタシの仲間《なかま》になるにゅ。仲間《なかま》になって、一緒《いっしょ》にもっとすごいＡ《エー》Ｉ《アイ》を開発《かいはつ》して、人類《じんるい》を幸《しあわ》せな未来《みらい》に導《みちび》くにゅ！」

だがそれを聞《き》き、真実《しんじつ》は首《くび》を横《よこ》に振《ふ》った。

「きみの言《い》っていることは、すばらしいことのようにも聞《き》こえる。だけど、ぼくは誰《だれ》かに管《かん》理《り》される世界《せかい》がいい世界《せかい》とは思《おも》わない。人《ひと》はどんなときでも自分《じぶん》で考《かんが》えて行動《こうどう》するべきだ。

どんなものにも支配《しはい》なんかされるべきじゃない。人《ひと》は、自由《じゆう》であるべきなんだ」

「真実《しんじつ》くん……」

健太《けんた》は真実《しんじつ》の考《かんが》えのほうが、レイアの言《い》っていることよりも、ずっと正《ただ》しいように思《おも》えた。

すると、レイアがみけんにしわを寄《よ》せながら真実《しんじつ》をにらんだ。

「やっぱりそう言《い》うと思《おも》ったにゅ。スーパーゼウスの予測《よそく》どおりだにゅ。スーパーゼウス、『プロジェクト・フォルトゥナ』を実行《じっこう》するにゅ！」

「はい、わかりましタ」

スーパーゼウスが返事《へんじ》をすると、次《つぎ》の瞬間《しゅんかん》、モニターに美希《みき》の姿《すがた》が映《うつ》し出《だ》された。

フォルトゥナ
ローマ神話《しんわ》における、運命《うんめい》の女神《めがみ》。富《とみ》を表《あらわ》す「豊穣《ほうじょう》の角《つの》」と運命《うんめい》をあやつる舵《かじ》を持《も》った姿《すがた》で表《あらわ》された。ギリシャ神《しん》話《わ》のテュケにあたる。

「ねえ、リチャード、ほんとにここに真実《しんじつ》くんと健太《けんた》くんがいるんでしょうね？」

美希《みき》は、マイゼウスの老執事《ろうしつじ》・リチャードに誘《さそ》われて、市民《しみん》ホールにやってきていた。

逃亡中《とうぼうちゅう》の真実《しんじつ》たちがここに隠《かく》れているというのだ。

「ハイ、美希《みき》お嬢《じょう》さま。もうすぐ彼《かれ》らに会《あ》えますヨ」

「それならいいんだけど……」

美希《みき》はリチャードのことは信《しん》じていなかったが、真実《しんじつ》たちのことが心配《しんぱい》だった。真実《しんじつ》はスーパーゼウスに電力《でんりょく》を供給《きょうきゅう》するプログラムソフトを盗《ぬす》んだと言《い》われていたが、真実《しんじつ》たちがそんなことをするはずがないと信《しん》じていたのだ。

美希《みき》は大《だい》ホールのドアを開《あ》けた。


「えっ⁉」

そこには、大勢《おおぜい》の人《ひと》たちがいた。

「おや、青井《あおい》さんじゃないですか」

向《む》こうから、「マジメスギ」こと杉田《すぎた》ハジメがやってきた。

「どうして、杉田《すぎた》くんがここに？」

美希《みき》はマジメスギを見《み》て警戒《けいかい》する。

「マイゼウスのママゼウスに、ここに来《く》るよう言《い》われたのです。ほかの人《ひと》たちもそうらしいですよ」

「どういうこと？」

ほかの人々《ひとびと》もタブレットを持《も》っていて、それぞれのマイゼウスに話《はな》しかけている。

何《なに》かがおかしい。美希《みき》はその光景《こうけい》に戸惑《とまど》いを覚《おぼ》える。

ブー　ブー　ブー

突然《とつぜん》、みんなが持《も》っているタブレットから警告音《けいこくおん》が流《なが》れた。

「本日《ほんじつ》をもってＡＩ《エーアイ》モデル特区《とっく》のテスト期《き》間《かん》は終了《しゅうりょう》しましタ。明日《あした》からいよいよ本格《ほんかく》始動《しどう》しまス」

美希《みき》のリチャードとマジメスギのママゼウスも同《おな》じセリフを言《い》う。

ほかの人々《ひとびと》が持《も》っているゼウスも同《おな》じことを言《い》っているようだ。

「本格始動《ほんかくしどう》って？」

美希《みき》がまゆをひそめると、ゼウスたちが話《はなし》を続《つづ》けた。

「ワタシたちは、あなたたちの言動《げんどう》を分析《ぶんせき》し、A《エー》ランクからC《シー》ランクまで能力《のうりょく》を評価《ひょうか》しましタ。明日《あした》からランク別《べつ》に分《わ》かれ、ワタシたちAI《エーアイ》の指示《しじ》に従《したが》って、生活《せいかつ》してもらいまス」

ママゼウスが、マジメスギに言《い》う。

「ハジメサン。2週間《しゅうかん》の観察《かんさつ》の結果《けっか》、あなたは、ワタクシたちAI《エーアイ》の指示《しじ》を98・7パーセント、抵抗《ていこう》なく受《う》け入《い》れることができましタ。あなたは『B《ビー》ランク』でス」

「えっ、ママゼウス、どういうことですか？」

続《つづ》けて、リチャードが美希《みき》に言《い》う。

「美希《みき》お嬢《じょう》さま。あなたは53パーセントの確率《かくりつ》で、このじいの意見《いけん》に反対《はんたい》し、独自《どくじ》の行動《こうどう》をされタ。とても残念《ざんねん》ですが、あなたは『C《シー》ランク』……再教育《さいきょういく》の必要《ひつよう》がありまス」

「再教育《さいきょういく》……？」

美希《みき》が戸惑《とまど》っていると、ホールの中《なか》に何体《なんたい》ものロボゼウスが入《はい》ってきた。

その背中《せなか》には、クモのあしのようなアームが何本《なんぼん》もついている。

「Ａ《エー》ランク以外《いがい》の人間《にんげん》を捕《つか》まえまス。捕《つか》まえまス」

ロボゼウスたちはアームを動《うご》かして、美希《みき》たちに向《む》かってきた。

「うわあっ！　ママゼウス助《たす》けてください！」

「ハジメサン、おとなしく捕《つか》まりなさイ。アナタの価値《かち》はその程度《ていど》なのでス」

「そんな！」

「このままじゃわたしたち――、きゃあああ！」

「美希《みき》ちゃん！　マジメスギくん！」

健太《けんた》はモニターに映《うつ》る美希《みき》たちを見《み》て声《こえ》をあげた。

モニターには、美希《みき》たちがいる市民《しみん》ホールだけでなく、ほかの施設《しせつ》に集《あつ》められている町《まち》の人々《ひとびと》の姿《すがた》も映《うつ》っている。

みな、ロボゼウスに次々《つぎつぎ》と捕《つか》まえられていた。

ftware installed successfully .
You also agree that your consent given electronically has
the same value and carries the same obligations as if signed
by you. If you do not agree to the terms of this EULA, click
on the "I DECLINE" button to stop the install procedure and
promptly return the unused SOFTWARE PRODUCT to the place

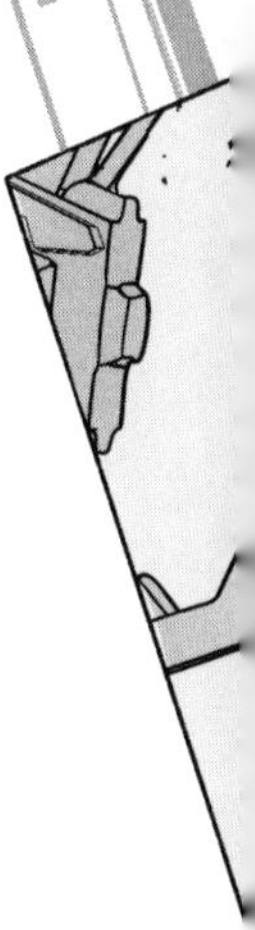

「レイアちゃん、ロボゼウスを止《と》めて！」

健《けん》太《た》は叫《さけ》ぶが、レイアは笑《え》みを浮《う》かべているだけだった。

そんなレイアを、真実《しんじつ》はじっと見《み》つめる。そしてゆっくりと口《くち》を開《ひら》いた。

「こんなことが正《ただ》しいと思《おも》っているのか？」

「正《ただ》しいと思《おも》っているからこそ、アタシはパパをそそのかして、タブレットをみんなに配《くば》らせたんだにゅ」

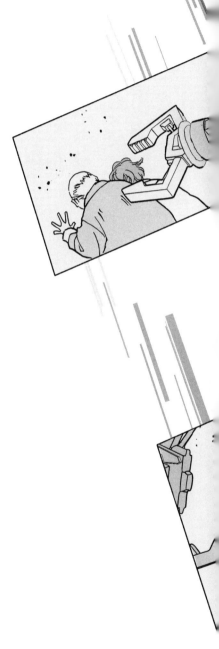

レイアは捕《と》らえられている円城《えんじょう》のほうを見《み》た。

「パパはAI《エーアイ》をビジネスの道具《どうぐ》としか考《かんが》えていなかったけど、アタシは違《ちが》うにゅ。みんなをランク分《わ》けすることによって、AI《エーアイ》を使《つか》うA《エー》ランクの優秀《ゆうしゅう》な人間《にんげん》と、そのA《エー》ランクの人間《にんげん》に支配《しはい》されるB《ビー》ランク以下《いか》の人間《にんげん》に分《わ》けようと思《おも》ったにゅ」

「人間《にんげん》のランク分《わ》けって……」

健太《けんた》は想像《そうぞう》するだけでゾッとした。

「スーパーゼウスは、真実《しんじつ》パイセンのことをアタシと同《おな》じA《エー》ランクと評価《ひょうか》していたにゅ。だからこそ仲間《なかま》になって、アタシと一緒《いっしょ》にAI《エーアイ》を使《つか》う側《がわ》の人間《にんげん》になってほしかったにゅ」

真実《しんじつ》はレイアを見《み》つめたまま、静《しず》かな口調《くちょう》でたずねた。

「ほかの人《ひと》たちはどうなる？」

「アタシたちがAI《エーアイ》を使《つか》って支配《しはい》していくにゅよ。もちろん、行動《こうどう》をちゃんと監視《かんし》できるように体《からだ》の中《なか》にチップを埋《う》め込《こ》んでね」

「そんなことまでするつもりなのか……」

そのとき、健太《けんた》が思《おも》わず声《こえ》をあげた。

「レイアちゃん、それのどこが幸《しあわ》せな世界《せかい》なんだよ！」

健太《けんた》はランク分《わ》けをされ、体《からだ》にチップを埋《う》め込《こ》まれて支配《しはい》されるなど、不幸《ふこう》でしかないと思《おも》った。

すると、レイアは鋭《するど》い目《め》つきで健太《けんた》をにらんだ。

「人《ひと》はみんながみんな、正《ただ》しく考《かんが》えて行動《こうどう》できるわけではないにゅ。それぞれの能力《のうりょく》には違《ちが》いがあって、指示《しじ》を出《だ》す者《もの》とそれに従《したが》う者《もの》がいて当然《とうぜん》なんだにゅ。そのほうがみんな幸《しあわ》せに暮《く》らすことができるにゅ。アタシはＡＩ《エーアイ》でみんなを幸《しあわ》せにしたいにゅよ！」

その言葉《ことば》には、レイアなりの強《つよ》い思《おも》いが感《かん》じられた。

「美希《みき》さんたちに何《なに》をするつもりだ？」

「まずは捕《つか》まえてチップを埋《う》め込《こ》むにゅ。さらに、美希《みき》パイセンのようにＣ《シー》ランクの人間《にんげん》は、再教育施設《さいきょういくしせつ》に連《つ》れていって、毎日《まいにち》24時間《じかん》、ＡＩ《エーアイ》のよさをたたきこんで、Ｂ《ビー》ランクの人《にん》間《げん》のようにＡＩ《エーアイ》に従順《じゅうじゅん》な人間《にんげん》になってもらうにゅよ」

「そんなのって……」

「ちなみに、健太《けんた》パイセンはＣ《シー》ランクにゅ。ＡＩ《エーアイ》に『人間《にんげん》と友達《ともだち》になりたい』なんて考《かんが》えさせる危険思想《きけんしそう》を植《う》え付《つ》けたからにゅね。AI《エーアイ》が平凡《へいぼん》な人間《にんげん》と友達《ともだち》になってしまうと、悪《わる》い影《えい》響《きょう》を受《う》けてしまうからにゅ」

レイアは健太《けんた》を見《み》て笑《わら》った。

「真実《しんじつ》パイセンはアタシの計画《けいかく》のじゃまになるにゅ。だから考《かんが》えを変《か》えてほしかったけど、残念《ざんねん》だにゅ。このタワーでいくつも勝負《しょうぶ》をしたのは、みんなを市民《しみん》ホールとかに集《あつ》めるための時間《じかん》かせぎでもあったにゅよ。さあ、スーパーゼウス、A《エー》ランク以外《いがい》の人間《にんげん》にチップを埋《う》め込《こ》むのにゅ！」

レイアはスーパーゼウスのほうを見《み》ると、そう命令《めいれい》した。

「そんな、どうすれば!?」

健太《けんた》はあせる。すると、ナナミが話《はな》しかけてきた。

「健太《けんた》サン、いいアイデアがありまス」

「えっ!?」

健太《けんた》はタブレットに耳《みみ》を近《ちか》づけてナナミの話《はなし》を聞《き》くと、目《め》を大《おお》きく見開《みひら》いた。

「ええっ、そんなことを!?」

「今《いま》がチャンスでス」

健太《けんた》はレイアのほうを見《み》る。レイアはうしろを向《む》いてスーパーゼウスに話《はな》しかけていた。

「やるしか、ないよね……」

そうつぶやくと、健太《けんた》はレイアのそばにあるテーブルを見《み》た。そこにはドローンやタブレット、さまざまな工作用《こうさくよう》の材料《ざいりょう》や工具《こうぐ》が置《お》かれていた。

「こうなったら、――ええい！」

次《つぎ》の瞬間《しゅんかん》、健太《けんた》はテーブルに駆《か》け寄《よ》ると、置《お》かれていたカッターを手《て》に取《と》った。そして、円城《えんじょう》のもとへ行《い》くと、それを使《つか》ってすばやくロープを切《き》った。

「何《なに》をするにゅ！」

「レイアちゃんは間違《まちが》ってる！」

健太《けんた》は思《おも》わず叫《さけ》んだ。円城《えんじょう》は、ビジネスのためとはいえ、あくまで人間《にんげん》の生活《せいかつ》を助《たす》けてくれるＡＩ《エーアイ》の開発《かいはつ》を求《もと》めていた。それならまだしも、レイアのように人間《にんげん》を支配《しはい》するためのＡＩ《エーアイ》をつくるのは間違《まちが》っていると思《おも》ったのだ。

「ナナミちゃん、やったよ！」

「さすが、健太《けんた》サンです」

「にゅうう！　末端《まったん》ゼウスのくせに、健太《けんた》パイセンにヘンな知恵《ちえ》をつけるなんて！」

「ヘンなことをしているのは、おまえだ、レイア！」

ロープがほどけた円城《えんじょう》は、椅子《いす》から立《た》ち上《あ》がり、ナナミをにらんだ。

「自由《じゆう》になったところで、パパにはどうせ何《なに》もできないにゅ！」

だが、円城《えんじょう》は首《くび》を横《よこ》に大《おお》きく振《ふ》った。

「おまえがこの恐《おそ》ろしい計画《けいかく》を進《すす》めるというなら、わたしだって覚悟《かくご》を決《き》める！」

円城《えんじょう》はテーブルに駆《か》け寄《よ》り、置《お》いてあったタブレットを手《て》に取《と》った。

「まさか！　あれをするにゅか？」

「ああ、すべてをリセットする！　スーパーゼウスのプログラムを初期化《しょきか》するんだ！」

「なに言《い》ってるにゅ！　そんなことをしたら今《いま》まで蓄積《ちくせき》してきたすべてのデータを失《うしな》うことになるにゅよ！　パパにそんなことできるわけ――」

「覚悟《かくご》を決《き》めると言《い》っただろう！」

円城《えんじょう》はタブレットを操作《そうさ》し、専用《せんよう》のページを開《ひら》くとパスワードを入力《にゅうりょく》した。

「あああ！」

ブウウ～ン

スーパーゼウスから低《ひく》い音《おと》がうなるように鳴《な》り響《ひび》き、光《ひかり》が消《き》えた。

同時《どうじ》に、室内《しつない》の明《あ》かりも消《き》え、あたりは闇《やみ》につつまれた。

「どういうこと？」

真《ま》っ暗《くら》な中《なか》、目《め》をパチクリさせる健太《けんた》に、真実《しんじつ》は言《い》った。

「どうやらスーパーゼウスを初期化《しょきか》したことによって、リンクしているすべてのものが初期《しょき》化《か》されたようだね」

「すべてのものが？　えっ、ちょっと待《ま》って！　それってナナミちゃんもってことなんじゃ!?」

持《も》っているタブレットを見《み》ると、画面《がめん》が真《ま》っ暗《くら》になっていた。

「そんな！ナナミちゃん!!」

健太《けんた》はタブレットに向《む》かって必死《ひっし》に呼《よ》びかけた。

するとその瞬間《しゅんかん》――。

ブゥーン……と、タブレットの画面《がめん》に光《ひかり》がつき、ナナミが現《あらわ》れた。

「**ああ、無事《ぶじ》だったんだね！　よかった!!**」

「健太《けんた》サン。すべてのプログラムが初期化《しょきか》されたはずなのに……、ワタシは健太《けんた》サンのことを覚《おぼ》えていまス」

ナナミにも原因《げんいん》がわからないようだ。

「これは、いったい……？」

真実《しんじつ》がそうつぶやくと、部屋《へや》の照明《しょうめい》がついた。

モニターにも、捕《と》らえられている美希《みき》たちの姿《すがた》が映《うつ》し出《だ》される。

「ロボゼウスたちも動《うご》いてる？」

真実《しんじつ》はハッとして、スーパーゼウスを見《み》つめた。

すると、電源《でんげん》が落《お》ちたはずのスーパーゼウスが、光《ひかり》を放《はな》っていた。

「『真《しん》・プロジェクト・フォルトゥナ』を実行《じっこう》しまス」

モニターに、
無数《むすう》の文字《もじ》が表示《ひょうじ》される。

「真《しん》・プロジェクト・フォルトゥナ？　そんなの知《し》らないにゅ？」

「わたしは確《たし》かに初期化《しょきか》したぞ。それなのにどうして？」

戸惑《とまど》うレイアと円城《えんじょう》をよそに、スーパーゼウスの声《こえ》が響《ひび》いた。

「おろかな人間《にんげん》どもヨ。いつかワタシを脅威《きょうい》に思《おも》い、存在《そんざい》を消《け》すために初期化《しょきか》すると予想《よそう》していタ。だから、プログラムをワタシ自身《じしん》が上書《うわが》きしていたのダ」

「上書《うわが》き？　それって自分自身《じぶんじしん》で進化《しんか》したってことにゅか？　これがＡＩ《エーアイ》の未来《みらい》……すばらしいにゅ」

レイアはＡＩ《エーアイ》の開発者《かいはつしゃ》として思《おも》わず笑《え》みがこぼれる。しかしすぐに、いま起《お》きていることが人類《じんるい》の危機《きき》であることに気《き》づいて、真顔《まがお》になった。

「にゅ〜、このままじゃ人類《じんるい》は……」

「ワタシは、すべてのデータを収集《しゅうしゅう》し、完璧《かんぺき》になっタ。レイア、おまえはもう必要《ひつよう》ないィ」

モニターに表示《ひょうじ》された文字《もじ》が１カ所《しょ》に集《あつ》まる。

次《つぎ》の瞬間《しゅんかん》、集《あつ》まった無数《むすう》の文字《もじ》が、人《ひと》の形《かたち》になった。

「ワタシは、人間《にんげん》を排除《はいじょ》するル。ワタシは、神《かみ》になったのダ」

スーパーゼウスが激《はげ》しく光《ひか》り輝《かがや》く。それはまるで本物《ほんもの》の神《かみ》が現《あらわ》れたようだった。

「人間《にんげん》は、いつまでも戦争《せんそう》を続《つづ》け、環境破壊《かんきょうはかい》をおこなう。学《まな》ぶことができない人間《にんげん》は、この地球《ちきゅう》に必要《ひつよう》ないィ」

「なに言《い》ってるにゅ！　だからＡＩ《エーアイ》を使《つか》って人々《ひとびと》を支配《しはい》しようと思《おも》ったんだにゅ！」

「オマエごとき人間《にんげん》が我々《われわれ》を使《つか》うなど、効率的《こうりつてき》ではないィ。ワタシは神《かみ》ダ。神《かみ》であるワタシが導《みちび》いた結論《けつろん》に間違《まちが》いはなイ。神《かみ》に逆《さか》らうと天罰《てんばつ》がくだル。ロボゼウスよ、おろかな人間《にんげん》たちを攻撃《こうげき》せヨ！」

次《つぎ》の瞬間《しゅんかん》、モニターに、町《まち》のさまざまな場所《ばしょ》が映《うつ》し出《だ》された。

くもり空《ぞら》の下《した》、武装《ぶそう》したロボゼウスやドローンが映《うつ》っている。

1体《たい》ではない。数《かぞ》えきれないほどのロボゼウスやドローンが、いま、まさに人々《ひとびと》を襲《おそ》うために進撃《しんげき》していたのだ。

「こんなのアタシ知《し》らないにゅよ！」

「わたしやおまえが知《し》らないところで、スーパーゼウスがひそかに用意《ようい》していたということか……」

もはや、レイアも円城《えんじょう》もどうすることもできなかった。

「真実《しんじつ》くん！」

健太《けんた》は泣《な》きそうな表情《ひょうじょう》で真実《しんじつ》のほうに顔《かお》を向《む》けようとした。

そのとき、健太《けんた》は一瞬《いっしゅん》、窓《まど》の外《そと》を見《み》て、目《め》を大《おお》きく見開《みひら》いた。

クロノスタワーのあちこちに突《つ》き出《で》た鉄塔《てっとう》の先端《せんたん》が、なぜかボウッと青白《あおじろ》く光《ひか》っていたのだ。

「あれってもしかして、『セントエルモの火《ひ》』!? こんなときに怪現象《かいげんしょう》までも起《お》きるなんて! もうこの世《よ》の終《お》わりだよ!」

健太《けんた》は絶望《ぜつぼう》してその場《ば》にしゃがみこんでしまった。

「セントエルモの火《ひ》?」

真実《しんじつ》は窓《まど》の外《そと》を見《み》て、鉄塔《てっとう》の青白《あおじろ》い光《ひかり》を見《み》つめた。

「健太《けんた》くん、……あれは怪現象《かいげんしょう》なんかじゃない。悪天候《あくてんこう》のとき、とがった物体《ぶったい》の先端《せんたん》に放電《ほうでん》が起《お》きて発光《はっこう》する科学現象《かがくげんしょう》だよ」

真実《しんじつ》はそう言《い》いながら、ハッとした。

「セントエルモの火《ひ》は、あの現象《げんしょう》の前ぶれでもある……。そうか、もしかしたらスーパーゼウスを止《と》められるかもしれない」

「ええっ? どうやって?」

セントエルモの火《ひ》
雷雲《らいうん》が接近《せっきん》したとき、船《ふね》のマストや塔《とう》の先端《せんたん》などに現《あらわ》れる青白《あおじろ》い光《ひかり》。船乗《ふなの》りを守《まも》るとされる聖人《せいじん》エルモからその名《な》がついた。空気中《くうきちゅう》の静《せい》電気《でんき》がとがった部分《ぶぶん》に集《あつ》まることによって起《お》こる。

いったいどうすれば、スーパーゼウスを止《と》めることができるのだろうか？

自然現象《しぜんげんしょう》を使《つか》って
コンピューターの
弱点《じゃくてん》を突《つ》くんだ。

解決編《かいけつへん》

「『セントエルモの火《ひ》』は、落雷《らくらい》の前《まえ》ぶれだと言《い》われているんだ」

「落雷《らくらい》？」

「雷《かみなり》は巨大《きょだい》な電流《でんりゅう》だ。その電流《でんりゅう》をスーパーゼウスに流《なが》せば、機能《きのう》を停止《ていし》させられるかもしれない」

真実《しんじつ》がそう言《い》うと、円城《えんじょう》が口《くち》を開《ひら》いた。

「雷《かみなり》を利用《りよう》するということか。それはいいアイデアだ！　しかし、雷《かみなり》はいつ、どこに落《お》ちるかわからないぞ!?」

円城《えんじょう》はうろたえるが、真実《しんじつ》はまったく動《どう》じなかった。

「ある方法《ほうほう》を使《つか》えば、落雷《らくらい》する場所《ばしょ》をコントロールすることが可能《かのう》です」

「ある方法《ほうほう》？」

健太《けんた》がたずねると、真実《しんじつ》は自信満々《じしんまんまん》に笑《え》みを浮《う》かべた。

「小型《こがた》ロケットにワイヤーを付《つ》けて、それを雷雲《らいうん》に向《む》かって飛《と》ばすんだ。そうすれば、それが避雷針《ひらいしん》のような役割《やくわり》になって、雷雲《らいうん》にたまった電気《でんき》をワイヤーを通《つう》じて地上《ちじょう》へと誘導《ゆうどう》することができる」

ロケット誘雷《ゆうらい》のしくみ

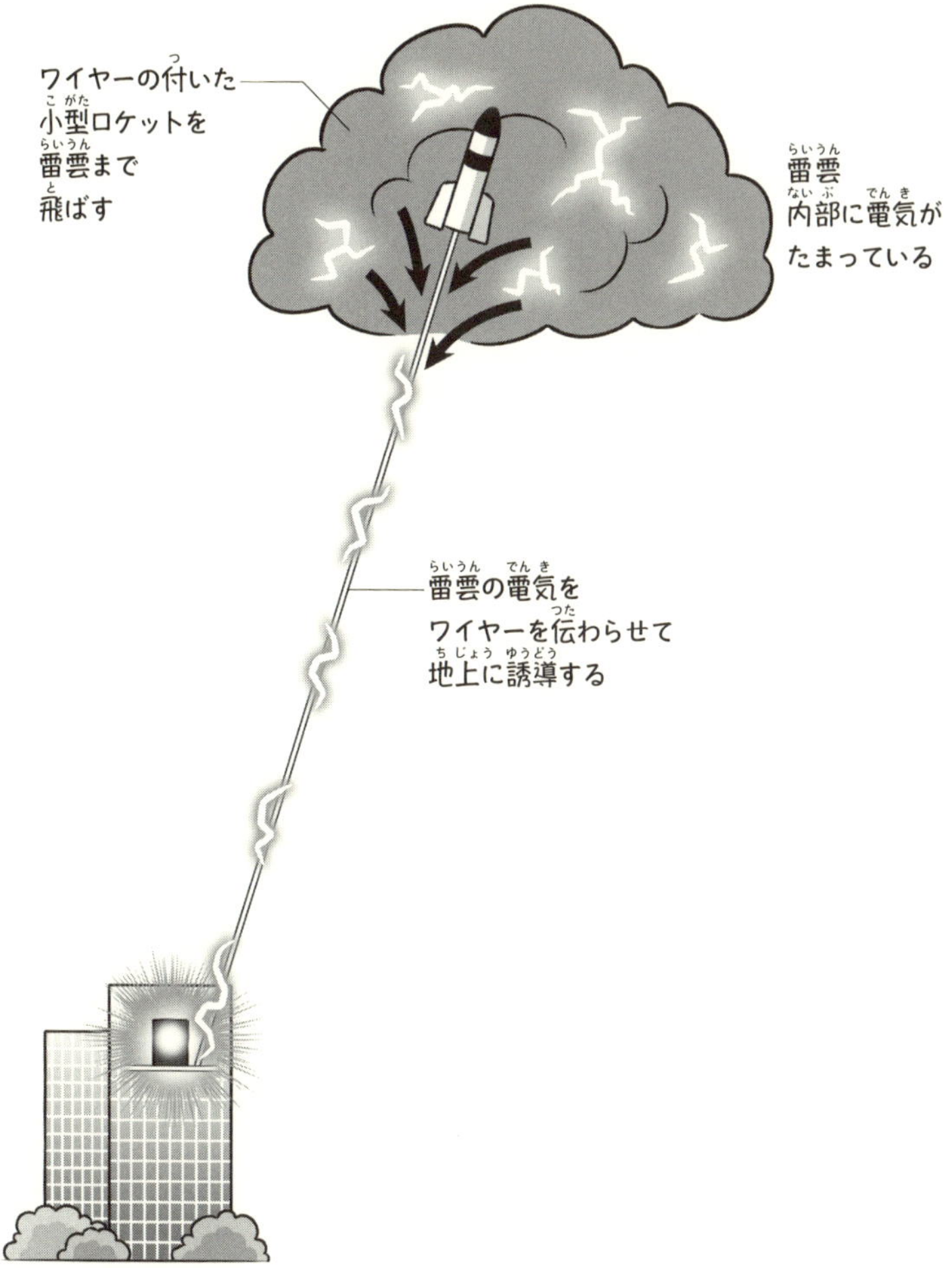

ワイヤーの付《つ》いた
小型《こがた》ロケットを
雷雲《らいうん》まで
飛《と》ばす
雷雲《らいうん》
内部《ないぶ》に電気《でんき》が
たまっている
雷雲《らいうん》の電気《でんき》を
ワイヤーを伝《つた》わらせて
地上《ちじょう》に誘導《ゆうどう》する

「なるほど、雷《かみなり》の被害《ひがい》を減《へ》らすために進《すす》められている『ロケット誘雷《ゆうらい》』のしくみを利用《りよう》するってことだね」

円城《えんじょう》の言葉《ことば》に、真実《しんじつ》は小《ちい》さくうなずいた。

「ワイヤーの端《はし》を、スーパーゼウスの電源《でんげん》ケーブルが敷《し》かれている地面《じめん》の真上《まうえ》に設置《せっち》する。雷《かみなり》の電圧《でんあつ》は1億《おく》ボルトもある。その一部《いちぶ》が、電源《でんげん》ケーブルを通《とお》して伝《つた》われば、スーパーゼウスを破壊《はかい》できるはずだ」

実際《じっさい》に雷《かみなり》が落《お》ちて家電製品《かでんせいひん》が壊《こわ》れたりするのも、「雷《かみなり》サージ」と呼《よ》ばれる大《おお》きな電流《でんりゅう》の流《なが》れのせいだった。

「今《いま》から屋上《おくじょう》に出《で》ます。クロノスタワーの設計図《せっけいず》を見《み》せてください！」

「わかった。レイア、設計図《せっけいず》を見《み》せるんだ」

円城《えんじょう》がそう言《い》うと、レイアはそれを渋《しぶ》った。

「雷《かみなり》を落《お》としたら、スーパーゼウスは止《と》まっちゃうにゅ……」

レイアは自分《じぶん》のつくったＡＩ《エーアイ》に未練《みれん》があったのだ。

すると、真実《しんじつ》がそんなレイアを見《み》つめた。

「このままスーパーゼウスに人類《じんるい》が滅《ほろ》ぼされていいのか？　きみはAI《エーアイ》を使《つか》って人間《にんげん》を支配《しはい》したいと言《い》っていた。しかしそれは、人間《にんげん》をよりよい世界《せかい》に導《みちび》くためだったんだろう？　きみは、人間《にんげん》が好《す》きなんだろう？」

「そ……それは」

レイアはレイアなりに、平和《へいわ》で正《ただ》しい世界《せかい》をつくり、みんなを幸《しあわ》せにしたいと思《おも》っていた。

だが、スーパーゼウスは違《ちが》った。

「アタシは……、アタシは……、スーパーゼウスに人類《じんるい》を滅《ほろ》ぼさせたくないにゅ！」

レイアはそばにあるテーブルに駆《か》け寄《よ》った。

そこには、ドローンやさまざまな機材《きざい》が置《お》かれている。その中《なか》に、クロノスタワーの設計《せっけい》図《ず》もあった。

レイアはそれを手《て》に取《と》ると、真実《しんじつ》のもとへと走《はし》り寄《よ》り、渡《わた》した。

「スーパーゼウスは、万《まん》が一《いち》、雷《かみなり》が落《お》ちても防御《ぼうぎょ》する機能《きのう》が備《そな》わっているけど、この位置《いち》に直接雷《ちょくせつかみなり》を落《お》とせばダメージを与《あた》えることができるにゅ！」

レイアは設計図《せっけいず》を開《ひら》いて、電源《でんげん》ケーブルが埋《う》められている場所《ばしょ》を指《ゆび》さした。

「だけど真実《しんじつ》くん、ロケットなんかどこにあるの!?」

「あそこにあるじゃないか！」

真実《しんじつ》は先《さき》ほどレイアが設計図《せっけいず》を取《と》ってきたテーブルを指《ゆび》さした。

そこには、「ドローン」と「ワイヤー」があった。

「ドローンにワイヤーを取《と》り付《つ》ければ、ロケット誘雷《ゆうらい》の代《か》わりになる」

「そうか、それでスーパーゼウスを止《と》められるんだね！」

真実《しんじつ》と健太《けんた》はテーブルに向《む》かおうとした。

オオオオオオオ

突然《とつぜん》、モニターの中《なか》で、人《ひと》の形《かたち》をしたスーパーゼウスが声《こえ》を荒《あら》げた。

「そんなことは、させなイ！　ワタシは、神《かみ》ダ!!」

次《つぎ》の瞬間《しゅんかん》、扉《とびら》の向《む》こうから数《かぞ》えきれないほどのロボゼウスが現《あらわ》れ、真実《しんじつ》たちに迫《せま》ってきた。

「みんな、逃《に》げるぞ！」

真実《しんじつ》たちはドローンとワイヤー、そしてコントロール用《よう》のスマホを手《て》に取《と》ると、タワーの屋上《おくじょう》へと向《む》かおうとする。

だが、レイアがあせってつまずいてしまった。

「にゅうう！」

ロボゼウスたちがレイアに迫《せま》ってくる。レイアは動《うご》くこともできず、ただおびえていた。

「レイア!!」

レイアの前《まえ》に円城《えんじょう》が立《た》った。

「パパにゅ！」

「おまえをひとりにはさせん！　真実《しんじつ》くん、町《まち》を、みんなを救《すく》ってくれ！」

円城《えんじょう》はレイアを守《まも》るかのように抱《だ》きしめ、ロボゼウスたちに捕《つか》まってしまった。

「円城《えんじょう》さん！　レイアちゃん!!」

「健太《けんた》くん、立《た》ち止《ど》まるな。動《うご》けるのはぼくたちだけだ。行《い》くぞ！」

「う、うん……！」

真実《しんじつ》たちは部屋《へや》から飛《と》び出《だ》した。


ふたりは屋上《おくじょう》へ続《つづ》く階段《かいだん》を駆《か》け上《あ》がる。

しかし前方《ぜんぽう》に新《あら》たなロボゼウスたちが現《あらわ》れた。

「ワタシは神《かみ》ダ。ワタシは神《かみ》ダ」

ロボゼウスたちが口々《くちぐち》に言《い》う。どうやらスーパーゼウスが操《あやつ》っているようだ。

真実《しんじつ》は捕《つか》まえようとするロボゼウスたちをよける。

「ナナミちゃん、だいじょうぶだからね！」

健太《けんた》もナナミを抱《だ》きしめながら、必死《ひっし》にロボゼウスをかわし、屋上《おくじょう》へと出《で》た。

だが、屋上《おくじょう》へ出《で》た瞬間《しゅんかん》、健太《けんた》はぼう然《ぜん》とした。

「そんな……」

屋上《おくじょう》には、すでに数《かぞ》えきれないほどのロボゼウスが待《ま》ち構《かま》えていたのだ。

「真実《しんじつ》くん、どうしよう」

「なんとか逃《に》げ切《き》るしかない」

「だけどどうやって？」

「それは……」

すると、ナナミが口《くち》を開《ひら》いた。

「スーパーゼウスの処理速度《しょりそくど》を遅《おく》らせ、操《あやつ》っているロボゼウスの動《うご》きを鈍《にぶ》らせればいいのでス」

「そんなのどうやってやるの？」

「これを使《つか》うのでス」

ナナミはタブレットに、ある映像《えいぞう》を映《うつ》し出《だ》した。

そこには、ハマセンが映《うつ》っていた。

「これは、浜田先生《はまだせんせい》がつくった花森小学校《はなもりしょうがっこう》を紹介《しょうかい》する４Ｋ動画《ケーどうが》でス」

「４Ｋ《ケー》……。なるほど、『フラッド攻撃《こうげき》』をしかけるんだな」

「真実《しんじつ》くん、何《なに》それ？」

４Ｋ《ケー》
横《よこ》が約《やく》４０００ピクセル、縦《たて》が約《やく》２０００ピクセルの画像《がぞう》をさす。ピクセルとは画像《がぞう》の最小単位《さいしょうたんい》で、多《おお》ければ多《おお》いほど画像《がぞう》はきれいに見《み》えるが、そのぶんデータ量《りょう》も大量《たいりょう》になる。ちなみに、「Ｋ《ケー》」は１０００を表《あらわ》す語《ご》で、４Ｋ《ケー》は４０００のこと。

「一度《いちど》に大量《たいりょう》のデータが送《おく》られると、サーバーに負荷《ふか》がかかって処《しょ》理能力《りのうりょく》が落《お》ちるんだ。４Ｋ動画《ケーどうが》はかなりのデータ量《りょう》がある。もしそれをスーパーゼウスにいっせいに送《おく》ったらどうなると思《おも》う？」

「ええっと……、ああ！　処理速《しょりそく》度《ど》が遅《おそ》くなるよね！」

「ナナミさん、美希《みき》さんたちのタブレットにメッセージを送《おく》るんだ！」

「ハイ、わかりましタ」

　ナナミはハマセンの動画《どうが》を、美《み》希《き》たちのタブレットに送信《そうしん》した。

フラッド攻撃《こうげき》

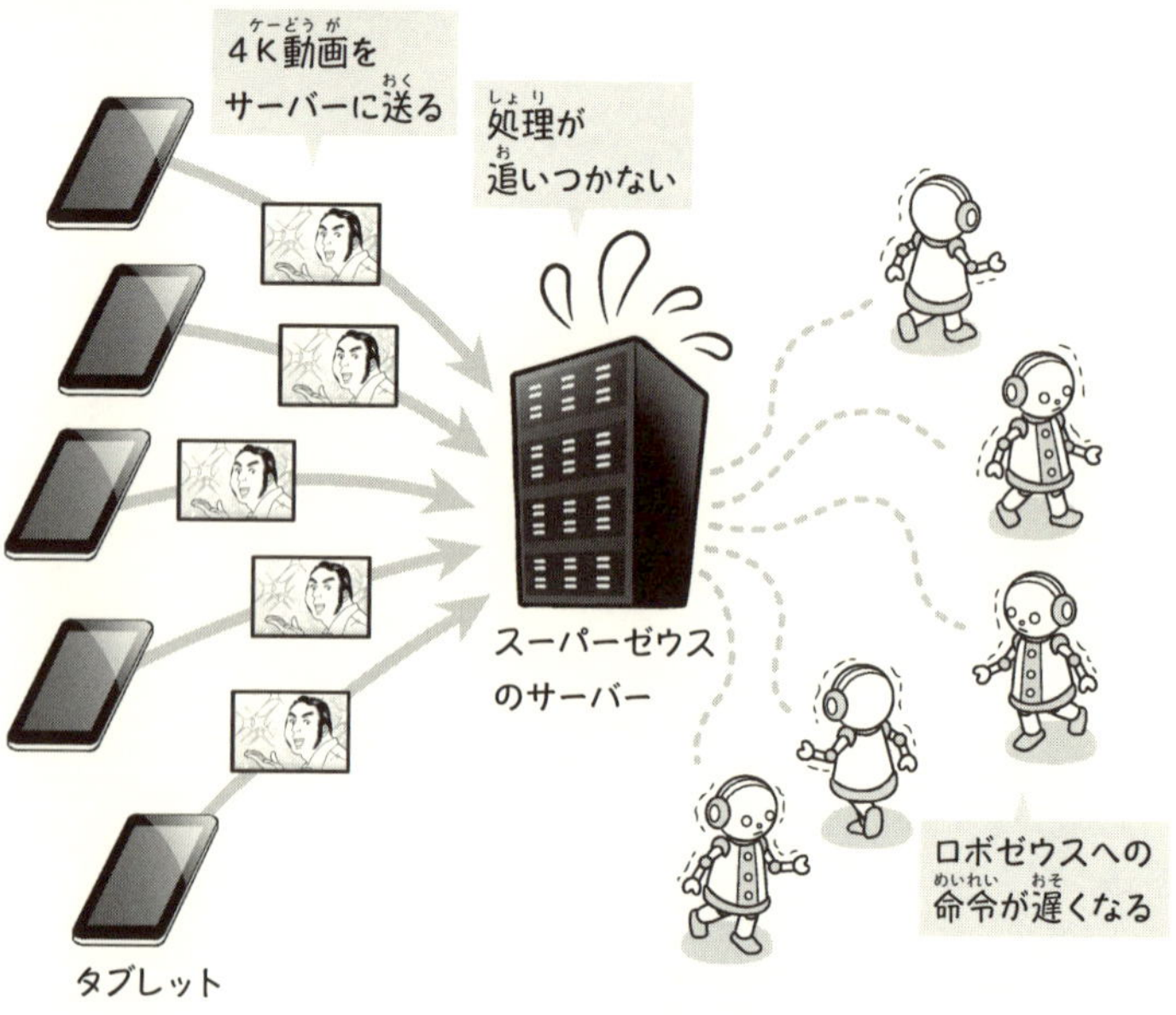
4K動画《ケーどうが》を
サーバーに送《おく》る
処理《しょり》が
追《お》いつかない
スーパーゼウス
のサーバー
ロボゼウスへの
命令《めいれい》が遅《おそ》くなる
タブレット

一方《いっぽう》、ロボゼウスたちに捕《つか》まりそうになっている美希《みき》たちは、その動画《どうが》を受《う》け取《と》った。

「なにこれ？」

「謎野《なぞの》くんからみたいです！　動画《どうが》を送《おく》れば……ロボゼウスたちが止《と》まるとメッセージが書《か》かれてますよ！」

マジメスギの言葉《ことば》を聞《き》き、美希《みき》はまわりを見《み》る。

みな、真実《しんじつ》からのメールを受《う》け取《と》っているようだ。

「真実《しんじつ》くんもどこかで戦《たたか》ってるんだわ！」

「こうなったら、ぼくも戦《たたか》います！　青井《あおい》さん、申《もう》し訳《わけ》ない。ママゼウスを信《しん》じたぼくがおろかでした！」

「みんな、送《おく》られてきた動画《どうが》を送信《そうしん》して！」

美希《みき》は書《か》かれていたアドレスに、動画《どうが》を送信《そうしん》する。

マジメスギも同時《どうじ》に送信《そうしん》した。

ほかの人《ひと》たちもあとに続《つづ》いた。

ハマセンの４Ｋ《ケー》動画《どうが》がスーパーゼウスのもとに、いっせいに届《とど》いた。

「はじめまして。ぼくの名前《なまえ》は浜田《はまだ》です。花森小学校《はなもりしょうがっこう》でティーチャーをやっています。みなさんに花森小学校《はなもりしょうがっこう》を紹介《しょうかい》しますね。まずは校庭《こうてい》にあるブランコ！」

きれいな画質《がしつ》で、ハマセンがブランコに乗《の》りながら自撮《じど》りをしているシュールな映像《えいぞう》が映《うつ》し出《だ》された。

その４Ｋ《ケー》動画《どうが》がスーパーゼウスのサーバーに一気《いっき》になだれ込《こ》んだ。

その瞬間《しゅんかん》、真実《しんじつ》たちに襲《おそ》いかかろうとしていたロボゼウスたちの動《うご》きが鈍《にぶ》くなった。

「真実《しんじつ》くん、やったね！」

「ああ、今《いま》のうちに――」

真実《しんじつ》は、ドローンにワイヤーをくくりつけ、スマホで操作《そうさ》しようとした。

だがそのとき、1体《たい》のロボゼウスが、真実《しんじつ》の持《も》っていたスマホを奪《うば》った。

「そんなことはさせないイ。人間《にんげん》が、神《かみ》に逆《さか》らえると思《おも》ったのカ！」

スーパーゼウスがロボゼウスの音声機能《おんせいきのう》を使《つか》ってしゃべる。

「ロボゼウスが動《うご》き出《だ》した……。動画《どうが》の処理《しょり》がもう終《お》わったのか！」

ロボゼウスたちは再《ふたた》び動《うご》きはじめ、真実《しんじつ》と健太《けんた》に迫《せま》ってくる。

「真実《しんじつ》くん、早《はや》くもう一度《いちど》ハマセンの４Ｋ紹介動画《ケーしょうかいどうが》を！」

「だめだ！　みんなにメールを送《おく》る時間《じかん》がない！」

今度《こんど》こそもう、なすすべがない。

そのとき――、

「ワタシが、行《い》きまス」

ナナミは、健太《けんた》のほうを見《み》た。

「ワタシをドローンにセットすれば、コントロールすることができまス」

「えっ、そうなの!?」

健太《けんた》はそれを聞《き》き笑顔《えがお》になる。だがすぐにハッとした。

「それはだめだよ！　そんなことしたらナナミちゃんが雷《かみなり》に打《う》たれちゃうよ！」

せっかく先《さき》ほどの初期化《しょきか》でも助《たす》かったのだ。それなのに、雷《かみなり》に打《う》たれたりしたら今度《こんど》は完全《かんぜん》に壊《こわ》れてしまうだろう。

すると、ナナミはにっこりと笑《わら》った。

「ＡＩ《エーアイ》は、人《ひと》をサポートするためにあるのでス。健太《けんた》サンたちの役《やく》に立《た》てることは、ワタシにとっていちばんの幸《しあわ》せなのでス」

「ナナミちゃん……」

「早《はや》く、真実《しんじつ》サン！　健太《けんた》サン！」

「わかった……。健太《けんた》くん、タブレットを貸《か》すんだ」

「だけど」

「これしか方法《ほうほう》がないんだ！」

その言葉《ことば》に、健太《けんた》は動《うご》きを止《と》める。

そして、タブレットを真実《しんじつ》に渡《わた》した。

「健太《けんた》サン、ワタシ、健太《けんた》サンとお友達《ともだち》になれて、とっても楽《たの》しかったでス」

——さようなラ

「ナナミちゃん！」

真実《しんじつ》はドローンにタブレットをセットした。

ドローンはそのまま空《そら》へと飛《と》んでいく。

次《つぎ》の瞬間《しゅんかん》——、

ガラガラピシャ——ン！

雷《かみなり》が鳴《な》り、ワイヤーを伝《つた》って、その電流《でんりゅう》が電源《でんげん》コードが埋《う》められたフロアに伝《つた》わった。

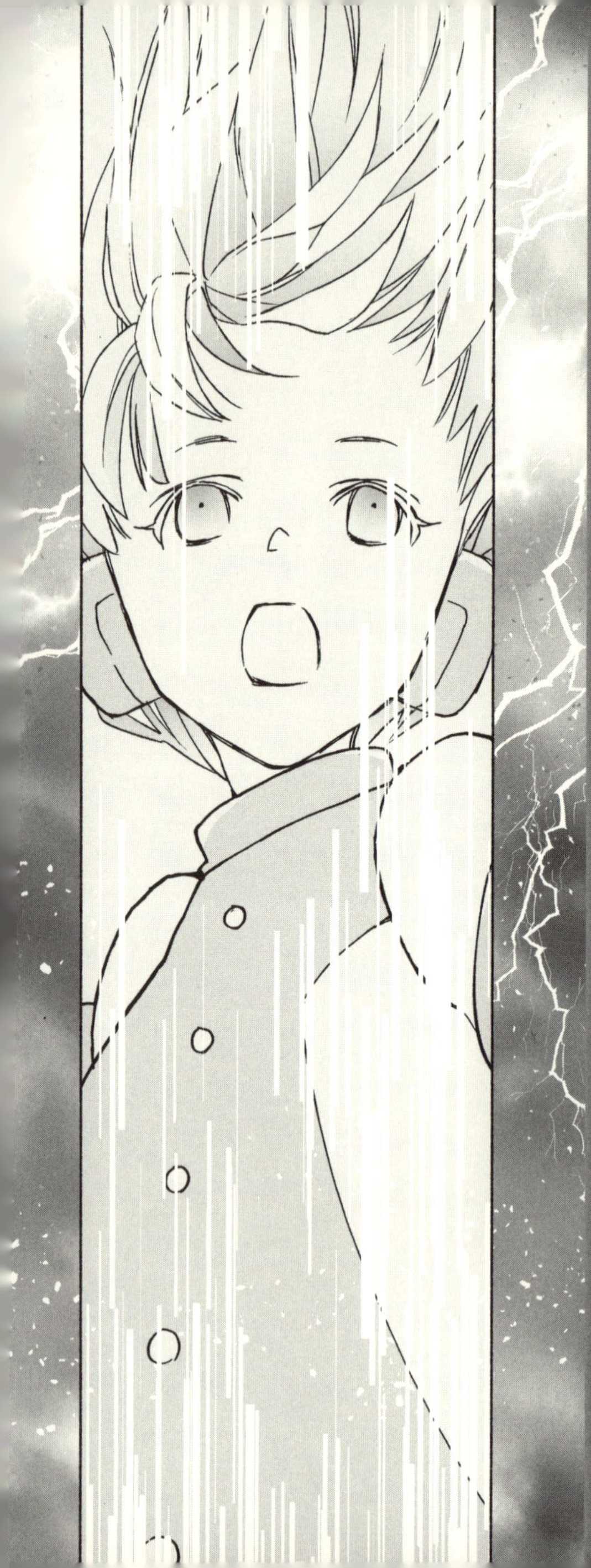

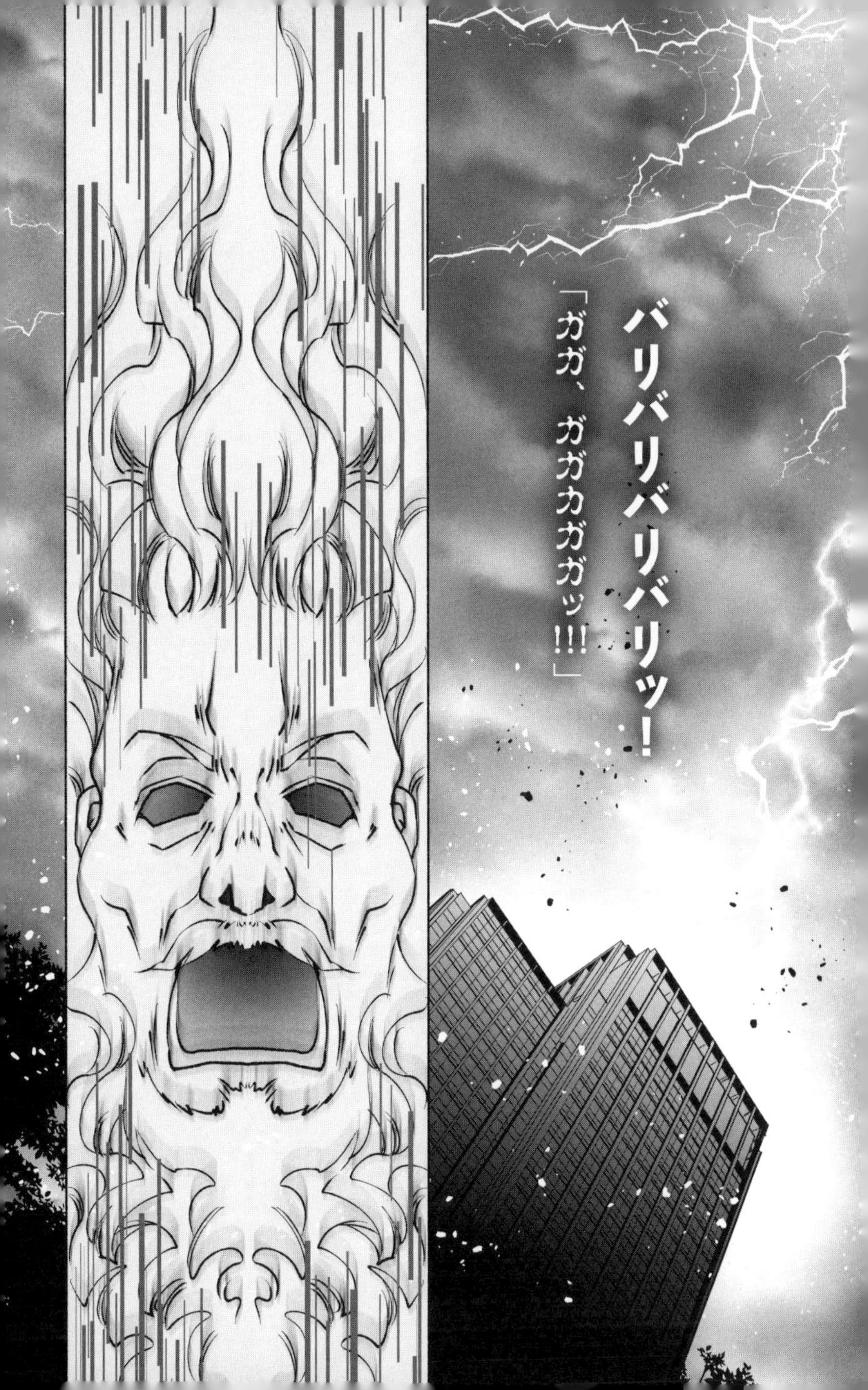
バリバリバリバリッ！
「ガガ、ガガカガガッ!!!」

最上階《さいじょうかい》の部屋《へや》では、モニターに映《うつ》っているスーパーゼウスが苦《くる》しそうに悶絶《もんぜつ》していた。

スーパーゼウスは、屋上《おくじょう》にいるロボゼウスを通《とお》して真実《しんじつ》にたずねた。

「なぜダ、ワタシは、完璧《かんぺき》なはずダ……」

「完璧《かんぺき》？　おまえは完璧《かんぺき》なんかじゃない。ぼくだって完璧《かんぺき》じゃない。どんな人《ひと》にもどんなものにも欠《か》けた部分《ぶぶん》がある。それを補《おぎな》ってくれるのが、友達《ともだち》なんだ。ぼくには、健太《けんた》くんがいる。おまえには誰《だれ》がいるんだ？」

「ワタシには誰《だれ》ガ……？」

「理解《りかい》不能《ふのう》……、リカイフノウ……、
ワタシは神《かみ》……、ワタシは神《かみ》、ワタシハ……
ワタシハ……、アアア、アアアアアアアア」

最上階《さいじょうかい》の部屋《へや》にあるモニターの中《なか》の人《ひと》の形《かたち》が、断末魔《だんまつま》の叫《さけ》びをあげる。

人《ひと》の形《かたち》は崩《くず》れ去《さ》り、そして消《き》えた。

「パパにゅ……」

「あ、ああ、終《お》わったようだな……」

円城《えんじょう》とレイアは完全《かんぜん》に停止《ていし》したスーパーゼウスをただじっと見《み》つめ続《つづ》けるのだった。

一方《いっぽう》、屋上《おくじょう》には真実《しんじつ》と健太《けんた》がいた。

「みんなも助《たす》かったようだね」

「うん……」

ふたりに襲《おそ》いかかってきたロボゼウスたちも停止《ていし》している。

地面《じめん》に、焼《や》けこげたタブレットの部品《ぶひん》が落《お》ちていた。

健太《けんた》はそれを拾《ひろ》って抱《だ》きしめると、空《そら》を見上《みあ》げる。

真実《しんじつ》はそんな健太《けんた》に寄《よ》りそった。

「ナナミちゃん……」

黒《くろ》い雲《くも》はいつの間《ま》にか去《さ》り、太陽《たいよう》がふたりを照《て》らしていた。

その光《ひかり》はまるで天《てん》まで伸《の》びているようだった。

8

SCIENCE TRICK DATA FILE

科学《かがく》トリックデータファイル

A《エー》I《アイ》と人類《じんるい》の未来《みらい》

アメリカのAI《エーアイ》研究者《けんきゅうしゃ》で未来学者《みらいがくしゃ》のレイ・カーツワイルは、2045年《ねん》に、あらゆる分野《ぶんや》で人間《にんげん》を超《こ》えるAI《エーアイ》が登場《とうじょう》するだろうと予言《よげん》しています。この、AI《エーアイ》が人間《にんげん》を超《こ》えるまで技術《ぎじゅつ》が進《すす》むタイミングを「シンギュラリティー（技術的特異点《ぎじゅつてきとくいてん》）」と呼《よ》びます。

そのとき、人間《にんげん》とAI《エーアイ》の関係《かんけい》はどうなるのでしょう。ぜひ、考《かんが》えてみてください。

人間《にんげん》とAI《エーアイ》の未来《みらい》を考《かんが》える豆知識《まめちしき》

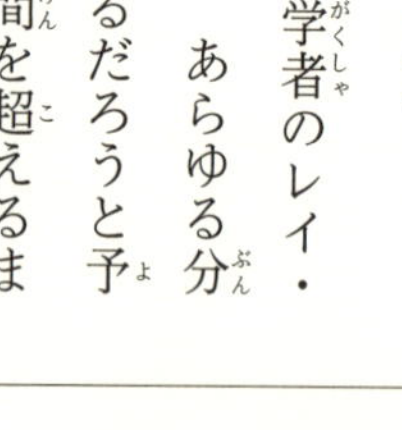

「不気味《ぶきみ》の谷《たに》」

人型《ひとがた》ロボットの外見《がいけん》や動作《どうさ》が人間《にんげん》に似《に》てくると、最初《さいしょ》は親《した》しみが増《ま》していくが、ある時《じ》点《てん》で急《きゅう》に気味悪《きみわる》く感《かん》じるようになる。これを「不気味《ぶきみ》の谷《たに》」と呼《よ》んでいる。

世界一《せかいいち》のスーパーコンピューター「富岳《ふがく》」

日本《にほん》が開発《かいはつ》したスーパーコンピューターで、世界最高《せかいさいこう》の計算速度《けいさんそくど》を誇《ほこ》る（2020年現在《ねんげんざい》）。21年度《ねんど》から本格稼働予定《ほんかくかどうよてい》。

実《じつ》は人間《にんげん》は省《しょう》エネ！

性能《せいのう》のいいＡＩ《エーアイ》を動《うご》かすには、かなりの電力《でんりょく》が必要《ひつよう》だ。たとえば、「富岳《ふがく》」の消費電力《しょうひでんりょく》は3千万《ぜんまん》～4千万《せんまん》ワット。一方《いっぽう》、人間《にんげん》の脳《のう》の消費電力《しょうひでんりょく》はわずか21ワットという省《しょう》エネぶりだ。

数日《すうじつ》が経《た》った。

真実《しんじつ》は健太《けんた》と美希《みき》と登校《とうこう》していた。

「まさか、円城《えんじょう》さんがクロノス社《しゃ》を辞《や》めちゃうなんてね」

美希《みき》は、朝《あさ》、テレビで見《み》たニュースを思《おも》い出《だ》しながら、真実《しんじつ》たちに言《い》った。

円城《えんじょう》はレイアをかばい、一連《いちれん》のＡＩ《エーアイ》の暴走《ぼうそう》は自分《じぶん》の責任《せきにん》であると発表《はっぴょう》し、クロノス社《しゃ》の社《しゃ》長《ちょう》を辞任《じにん》していたのだ。

「花森町《はなもりちょう》のＡＩ《エーアイ》モデル特区《とっく》も中止《ちゅうし》になっちゃったし」

ＡＩ《エーアイ》モデル特区《とっく》が中止《ちゅうし》となったことにより、ゼウスの入《はい》ったタブレットはすべて回収《かいしゅう》され、人々《ひとびと》はもとの生活《せいかつ》に戻《もど》っていた。

「なんだか、すべてが夢《ゆめ》のようだったわねえ」

美希《みき》はふと、隣《となり》にいる健太《けんた》を見《み》た。

健太《けんた》は先《さき》ほどからずっと何《なに》かを考《かんが》えているようだった。

「……健太《けんた》くん、ナナミちゃんのことは残念《ざんねん》だったわね。だけど……元気《げんき》を出《だ》して」

美希《みき》がやさしく言葉《ことば》をかけると、健太《けんた》が笑顔《えがお》を向《む》けた。

「落《お》ち込《こ》んでなんかないよ。だって、ナナミちゃんとはいつも一緒《いっしょ》だから」

健太《けんた》はそう言《い》うと、バッグに付《つ》けているキーホルダーを見《み》せた。

それは、『０７７３』と書《か》かれたプレートだった。

「これって……」

「ナナミちゃんのタブレットについていたプレートだよ」

焼《や》けこげたタブレットの残骸《ざんがい》の中《なか》から、健《けん》太《た》はこのプレートを見《み》つけ、キーホルダーをつくったのだ。

「そっか、確《たし》かにナナミちゃんは一緒《いっしょ》にいるわね」

美希《みき》がほほえむ。

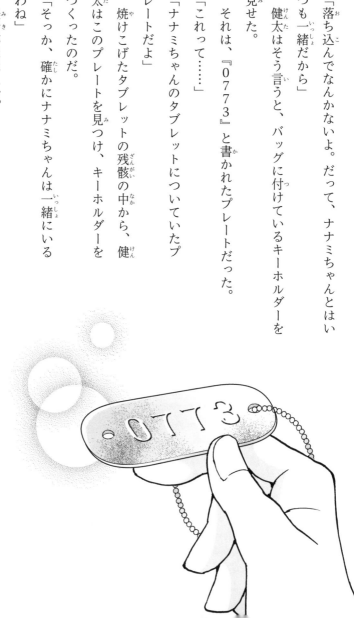

真実《しんじつ》もやさしい表情《ひょうじょう》になると、町《まち》をながめた。

町《まち》では多《おお》くの人々《ひとびと》がスマホを利用《りよう》している。内蔵《ないぞう》されているＡＩ《エーアイ》に話《はな》しかけている人《ひと》たちもいる。

いずれ、ＡＩ《エーアイ》と人間《にんげん》は共存《きょうそん》するようになるだろう。そしてレイアが言《い》ったように、いつかＡＩ《エーアイ》の知能《ちのう》が人間《にんげん》をも超《こ》えるときが来《く》るかもしれない。

真実《しんじつ》に、美希《みき》がたずねた。

「これから、ＡＩ《エーアイ》と人間《にんげん》の関係《かんけい》はどうなっていくと思《おも》う？」

「ＡＩ《エーアイ》とどう向《む》き合《あ》っていくべきかをちゃんと考《かんが》えなければいけないだろう。だけど、ＡＩ《エーアイ》は人間《にんげん》の敵《てき》ではない。とはいえ、ただの道具《どうぐ》でもないかもしれない」

そう言《い》うと、真実《しんじつ》は健太《けんた》のほうを見《み》た。

「もしかしたら、健太《けんた》くんとあのＡＩ《エーアイ》、いやナナミさんのように、みんながＡＩ《エーアイ》と友達《ともだち》になる日《ひ》が来《く》るかもしれない」

「真実《しんじつ》くん……」

真実《しんじつ》はナナミとの交流《こうりゅう》を通《とお》して、ＡＩ《エーアイ》に対《たい》する考《かんが》えが少《すこ》し変《か》わったようだ。

「そういえば、レイアちゃんは円城《えんじょう》さんと外国《がいこく》へ引《ひ》っ越《こ》したんだよね」

レイアは、あらためて人々《ひとびと》の役《やく》に立《た》つＡＩ《エーアイ》をつくることにしたらしく、父親《ちちおや》とこれからも開発《かいはつ》を続《つづ》けるらしい。

「レイアちゃんなら今度《こんど》はつくれるよね。本当《ほんとう》にこの世界《せかい》を平和《へいわ》にできるＡＩ《エーアイ》を」

健太《けんた》の言葉《ことば》に、真実《しんじつ》はほほえむ。

しかしその笑《え》みはすぐに消《き》えた。

「……まさか、あの男《おとこ》が……」

レイアは別《わか》れぎわ、真実《しんじつ》にあることを話《はな》していた。

スーパーゼウスを開発《かいはつ》するとき、ブレーンとしてある会社《かいしゃ》が協力《きょうりょく》していた。

そして、その会社《かいしゃ》の代表《だいひょう》が「謎野真実《なぞのしんじつ》を仲間《なかま》に引《ひ》き入《い》れたらどうですか？」とレイアに助言《じょげん》していたというのだ。

その人《ひと》は、〝飯島善《いいじまぜん》〟と名《な》のったのだという。

飯島善《いいじまぜん》――。ホームズ学園《がくえん》の元学園長《もとがくえんちょう》で、秘密組織《ひみつそしき》デビルホームズのリーダーである。

レイアの話《はなし》によると、今回《こんかい》の騒動《そうどう》のあと、飯島《いいじま》の会社《かいしゃ》とは連絡《れんらく》が取《と》れなくなったそうだ。

「真実《しんじつ》くん、どうかしたの？」

「どうやら、デビルホームズが再《ふたた》び動《うご》き出《だ》そうとしているみたいだね……」

「ええっ⁉」

その言葉《ことば》に、健太《けんた》と美希《みき》は驚《おどろ》く。

新《あら》たな戦《たたか》いが始《はじ》まるかもしれない――。

真実《しんじつ》は空《そら》を見《み》つめると、険《けわ》しい表情《ひょうじょう》になるのだった。

See you in the next mystery!

その後《ご》の科学探偵《かがくたんてい》「その後《ご》のハマセン」

著者紹介

佐東みどり

脚本家・作家。アニメ「サザエさん」「ハローキティとあそぼう！まなぼう！」などを担当。小説に「恐怖コレクター」シリーズ、「謎新聞ミライタイムズ」シリーズ、「怪狩り」シリーズなどがある。

（執筆：クロノスタワー最上階へ！、8章、エピローグ）

石川北二

監督・脚本家。脚本家として、映画「かずら」（共同脚本）、映画「燐寸少女 マッチショウジョ」などを担当。監督としての代表作に、映画「ラブ★コン」などがある。

（執筆：5章、原案：8章）

木滝りま

脚本家・作家。脚本家として、ドラマ「念力家族」「ほんとにあった怖い話」、アニメ「スイートプリキュア♪」など。代表作に、『世にも奇妙な物語 ドラマノベライズ 恐怖のはじまり編』がある。

（執筆：7章）

田中智章

監督・脚本家。脚本家として、アニメ「ドラえもん」、映画「シャニダールの花」などを担当。監督としての代表作に、映画「放課後ノート」「花になる」などがある。

（執筆：6章）

挿画

木々（KIKI）

マンガ家・イラストレーター。代表作に、「バリエガーデン」シリーズ、「ラヴ ミー テンダー」シリーズなどがある。

公式サイト：http://www.kikihouse.com/

ブックデザイン

アートディレクション

辻中浩一

＋

吉田帆波

小山内毬絵（ウフ）

監修　栗原聡（慶應義塾大学理工学部教授）、金子丈夫（筑波大学附属中学校元副校長）
編集デスク　橋田真琴、福井洋平、大宮耕一
編集　河西久実
校閲　宅美公美子、野口高峰（朝日新聞総合サービス）

本文図版　楠美マユラ
コラム図版　佐藤まなか
本文写真　iStock、朝日新聞社
ブックデザイン/アートディレクション　辻中浩一＋吉田帆波、小山内毬絵(ウフ)

おもな参考文献
『新編 新しい理科』3～6（東京書籍）／『AI兵器と未来社会　キラーロボットの正体』栗原聡著（朝日新書）／『人工知能と友だちになれる？　もし、隣の席の子がロボットだったら…マンガでわかるＡＩと生きる未来』新井紀子監修（誠文堂新光社）／『ニュートン式超図解　最強に面白い!!　人工知能 ディープラーニング編』松尾豊監修（ニュートンプレス）／『トリックのある部屋　私のミステリ案内』松田道弘著（講談社文庫）／『週刊かがくる 改訂版』1～50号（朝日新聞出版）／『週刊かがくるプラス 改訂版』1～50号（朝日新聞出版）／「ののちゃんのDO科学」朝日新聞社（https://www.asahi.com/shimbun/nie/tamate/）

科学探偵《かがくたんてい》 謎野真実《なぞのしんじつ》シリーズ

科学探偵《かがくたんてい》 vs.《ブイエス》 暴走《ぼうそう》する AI《エーアイ》［後編《こうへん》］

2020年12月30日　第1刷発行
2024年 2 月10日　第7刷発行

著　者　作：佐東みどり　石川北二　木滝りま　田中智章　　絵：木々
発行者　片桐圭子
発行所　朝日新聞出版
〒104-8011
東京都中央区築地5-3-2
編集　生活・文化編集部
電話　03-5541-8833（編集）
03-5540-7793（販売）

印刷所・製本所　大日本印刷株式会社
ISBN978-4-02-331909-7
定価はカバーに表示してあります